D1539488

OSVALDO SORIANO

CUARTELES DE INVIERNO

EDICIONES
B
GRUPO ZETA

LIBRO AMIGO·SERIE LITERARIA

1.ª edición: abril, 1987

La presente edición es propiedad de Ediciones B, S.A.
calle Rocafort, 104 - 08015 Barcelona (España)

© Osvaldo Soriano, 1982, 1987

ISBN: 84-7735-050-7
Depósito legal: B. 10.604 - 1987

Impreso en NOVOPRINT, S.A.
Sant Andreu de la Barca (Barcelona)

Printed in Spain

DISEÑO DE PORTADA:
DEPT. DE NUEVAS INICIATIVAS
& IMAGEN CORPORATIVA · B
ILUSTRACION: JORDI TACHÉ

CAPITULO I

Los dos hombres que esperaban en la estación tenían cara de aburridos. El que parecía ser el jefe llevaba un traje negro brilloso y tenía un pucho en los labios. El otro, un gordo de mameluco azul, agitaba una lámpara desfalleciente en dirección del maquinista. Levanté la valija y avancé por el pasillo. El coche estaba casi vacío y la gente dormía a pata suelta. Salté al andén y miré alrededor.

Del vagón de primera bajó un tipo que andaría por los dos metros y los cien kilos; se quedó un rato mirando para todas partes, como si esperara que alguien le pusiera un ramo de flores en las manos. El gordo tocó pito y empezó a insultar al maquinista. El hombre de negro se me acercó y me saludó con una sonrisa.

—Usted es Morales —dijo sin sacarse el pucho de los labios.

Le devolví la sonrisa.

—No, yo soy Galván.

—Andrés Galván —me tendió la mano—. Carranza, jefe de la estación. ¿A qué pensión va?

Iba a preguntarle cuál me recomendaba cuando vi a los soldados. El más alto me apuntaba sin mucha convicción; el otro, un morocho que tenía el casco metido hasta las orejas, se quedó más atrás, casi en la oscuridad. El suboficial llevaba uno de esos bigotes que ellos se dejan para asustar a los colimbas.

—Documentos —me dijo.

El jefe de la estación sacó una voz ronca y pastosa:

—Es Galván, el cantor. Buen muchacho, parece.

Le alcancé la cédula. El milico la miró un minuto, le dio unas cuantas vueltas y anotó los datos en una libreta.

—¿Viene a la fiesta? —preguntó sin mirarme.

—Sí. Contratado por el señor Suárez.

—Capitán Suárez —corrigió.

—Capitán Suárez —repetí.

Me devolvió la cédula, miró sobre mi hombro y pegó un grito:

—¡Alto!

El grandote que había bajado de primera clase estaba a punto de piantarse por la puerta que daba a la sala de espera. Los dos soldados le apuntaron a la espalda; no hacía falta ser un campeón para mantenerlo a tiro porque el punto tenía una espalda justa para servir un banquete.

Dejó el bolso en el suelo y los miró sin sorpresa. Tenía la cara tristona y parecía cansado de arrastrar ese cuerpo por el mundo. Llevaba una campera de cuero larga y unos jeans gastados.

—Contra la pared —dijo el suboficial y le indicó el cartel de propaganda de un restaurante. El grandote no se hizo rogar: levantó las manos, echó las caderas para atrás y apoyó las palmas contra el aviso. El soldado morocho lo empezó a palpar pero se cansó enseguida. El suboficial se mantenía a distancia y miraba la cédula bajo la luz amarillenta.

—Rochita —dijo el jefe de la estación a mi espalda.

El tren arrancó y me perdí lo que agregó a continuación.

—¿Qué me decía?

—Rochita —señaló al grandote que miraba tieso cómo le desarmaban el bolso—, buen pegador el pibe. Un poco lento para mi gusto, ¿no?

Lo miré. Rápido no parecía. Ni nervioso, pero nunca se sabe con tipos de ese tamaño.

—No sé —le dije—, nunca lo vi.

—Por la televisión —dijo el jefe—, cuando lo volteó al paraguayo. Tiene un piña de bestia, pero es muy lento —se me acercó y agregó en voz baja—: ¿Es cierto que está terminado?

—¿Por qué está terminado?

—Dicen. Usted que es de Buenos Aires debe saber.

7

Le repetí que no lo conocía y salí por la sala de espera desierta. Una avenida con árboles florecidos parecía llevar al centro. Empecé a caminar despacio. En la esquina había un baldío cubierto de yuyos entre los que alguien había construido una especie de rancho sostenido por dos árboles robustos. Un par de cuadras más allá pasé frente a un boliche donde seis tipos jugaban al truco y tomaban copas. Miré a través del vidrio, sin pararme, y crucé la calle. Un aire cálido, sereno, acariciaba las hojas de las acacias. Por la avenida pasó un jeep del ejército en el que iban los tipos que nos habían controlado en la estación. Me acordé que antes de salir me había preparado un sándwich de jamón y queso. Apoyé la valija sobre el capó de un auto y saqué la bolsita. Seguí andando, mordiendo el pan gomoso, mirando las viejas casas grises, tratando de adivinar qué haría la gente de ese pueblo a las diez de la noche. Entonces escuché a mi espalda un estruendo de pasos, como si King Kong se hubiera escapado otra vez. Me di vuelta, discreto, y vi al grandote que caminaba apurado por el medio de la calle. Apoyaba los pies contra el asfalto como si viniera aplastando hormigas. Me paré a verlo llegar. Era cierto que no tenía mucho juego de cintura, ni de rodillas, ni de tobillos. Caminaba con la cabeza echada hacia adelante y llevaba el bolso sobre la espalda. Se paró delante mío, agitado.

—Lo alcancé —dijo con una voz que parecía salir de una cueva.

Tenía los ojos algo pequeños para esa cara y la nariz tan aplastada como la de cualquier veterano. Lo miré un rato sin saber qué decirle. Por fin me salió algo.

—¿Todo bien?

Sonrió y dejó el bolso en el suelo.

—Sí —dijo y me miró con cierta timidez—. Yo tengo un disco suyo, ¿sabe? Ese que tiene *La última curda*.

Lo decía como si fuese el único tipo del país que tuviera un disco mío. Mastiqué el último bocado del sándwich y lo dejé venir.

—¿Va a cantar aquí? —me preguntó mientras sacaba un pañuelo y se lo pasaba por el cuello.

—En la fiesta. Mañana es el aniversario del pueblo.

No había terminado de decírselo que ya sacudía la cabeza, asintiendo, como si eso lo pusiera contento.

—Usted también vino a hacerse unos mangos, ¿eh?

La pregunta era un poco atrevida considerando que tenía un disco mío. Abrí los brazos como diciendo «ya lo ve» y él volvió a sacudir la cabeza.

—Rocha, encantado —dijo y me tendió un brazo largo y grueso como una manguera de incendios.

9

—Encantado —dije. Levantó el bolso y empezó a moverse hasta que todo su cuerpo estuvo listo para dar el primer paso. Caminamos en silencio y me estuvo mirando todo el tiempo. Al llegar a la esquina me palmeó la espalda, compinche, y me dijo:

—Usted canta lindo, carajo.

CAPITULO II

La vieja nos mostró el cuarto del fondo. La puerta daba a un patio amplio, lleno de flores, al que rodeaba una galería abierta. Sobre una de las camas dormía un gato que apenas despegó los ojos para ver quién entraba. Rocha miró las paredes, el techo y los crucifijos sobre las camas.

—No me gusta —dijo—, no tiene ventanas.

La vieja lo miró, un poco molesta, y se acercó a la puerta esperando que nos decidiéramos.

—¿No tiene a la calle? —parecía deprimido—. Yo necesito ventana, aire, mucho aire. Soy boxeador, ¿sabe?

Nadie hubiera pensado que era cura, ni hombre de negocios.

—Y mi amigo canta —agregó—. Los dos vivimos de los fuelles, señora.

—Les puedo preparar un cuarto a la calle, pero es otro precio.

Rocha movió la cabeza.

—Me gusta, abuela, está bien —dijo, satisfecho.

—Les cuesta cien más que ésta porque tengo que prepararla especialmente.

Era más de lo que yo hubiera querido gastar, pero Rocha se me adelantó.

—No se haga problemas por el precio, abuela. Si nos da la llave nos vamos a comer algo. ¿Es muy tarde para comer en este pueblo?

A la vieja no le gustó lo de «este pueblo» pero nos indicó el lugar.

Yo me hubiera conformado con el sándwich, pero el grandote irradiaba una vitalidad contagiosa y decidí acompañarlo.

Era el restaurante donde la gente va a estrenar la ropa. Rocha se paró a poco de atravesar la puerta y miró el salón. Cualquier forastero hubiera llamado la atención, pero aquel gigante era una función aparte. Atravesamos la mitad del local y ya toda la gente nos miraba. Rocha sonreía y saludaba a todo el mundo con caídas de cabeza que nadie devolvía. Había media docena de mesas ocupadas y casi todas estaban en el postre. Yo me apuré a llegar al fondo para escapar de los curiosos, pero cuando iba a ocupar la última mesa escuché un chistido que venía desde lejos.

—Acá Galván, acá está fenómeno.

No gritaba, pero tampoco tenía la voz justa para pasar quiniela. Se había sentado en el centro y miraba al mozo, sorprendido de que no lo atendiera todavía. Caminé lo más discretamente posible y me senté frente a él.

—¿Por qué se esconde? ¿No ve que acá somos personajes?

Había una calurosa ternura en su mirada. El mozo se acercó y nos dijo «¿señores?» pero se dirigía sólo a mí; era un colorado de calva vergonzante mal cubierta por el pelo que arrastraba desde la nuca. Yo elegí un bife con papas fritas. Rocha pidió parrillada para dos y un litro de vino, pero el mozo siguió mirándome como si fuera yo el que invitaba.

—Entonces no va el bife —me dijo.

—Sí, para mí —contesté.

—Y parrillada para dos —insistió Rocha.

—Mire que viene abundante —me dijo el tipo.

Rocha le puso una mano sobre un brazo y lo hizo girar sin dulzura.

—Para dos —le dijo, serio.

El pelado se fue sin hacer más comentarios.

—Nunca hay que hacer enojar a los mozos —comentó Rocha, arrepentido—; le pueden arruinar la comida antes de traerla. Le digo porque yo fui mozo.

—No en los pueblos —le dije, esperanzado—. Aquí hay menos maldad.

Empezó a reírse. Su risa me ponía nervioso.

—Cómo se ve que usted sale poco de la capital —dijo al fin y se pasó la mano izquierda por el pelo abundante y grasiento. Entonces vi la cicatriz que le cruzaba todo el dorso. En la mesa vecina, dos hombres nos observaban y hablaban en voz baja. Uno vestía traje gris, era joven, y no parecía un notable; el otro, petiso, cincuentón, lucía un enorme moño rojo en el cuello de la camisa blanca. El traje negro era impecable, pero el chaleco le apretaba la barriga.

El mozo trajo la comida y el vino. Rocha acercó la cabeza a los platos y estuvo mirando un rato.

—Coma tranquilo —me dijo—, ni rastro de gargajo.

A pesar de todo, comí. Antes de que yo acabara con las papas fritas, Rocha había devorado la parrillada y vaciado la botella de vino. Después chistó al mozo como si llamara un taxi. Esta vez el pelado se mantuvo a distancia.

—Frutillas para dos y café —pidió.

Estuve mirándolo un rato, con bronca, mientras él masticaba el último pedazo de pan.

—Vine a trabajar, no a comer como un bacán —dije—. ¿Se cree Cassius Clay?

Me miró como si no entendiera un pito.

—¿Usted lo vio alguna vez a Cassius Clay? —murmuró.

Era imposible mantenerse enojado mientras sus ojos se ponían ansiosos.

—Un par de veces, por televisión —dije.

Se quedó callado y fue cargándose de un aire fingidamente modesto.

—Yo hice guantes con él en la Federación Argentina, cuando vino la primera vez.

Se quedó esperando el efecto que me hacía.

—¿Y?

—¿Usted se cree que todo el país hace guantes con Clay?

El mozo trajo las frutillas y el café, pero Rocha ni se dio cuenta. Corrió la silla hacia atrás y se puso en guardia.

—Yo lo tenía junado. Todos lo dejan venir, lo dejan jugar con la zurda y venir. Eso es paliza segura.

—No demos un espectáculo —dije.

No me oyó. Tiró la derecha desde afuera y dejó que el puño se detuviera a diez centímetros de mi cara. Miré discretamente a los costados. Una pareja joven se iba; el muchacho ayudaba a su rubia a ponerse el abrigo. El petiso de moño rojo se había quedado solo y nos miraba con ganas de participar.

—Así es como toda la gilada va a la lona, ¿ve? Pero si yo me le meto entre los brazos ¿qué pasa?

Dejó caer los puños y estuvo esperando que le contestara.

—Las frutillas —le indiqué.

Pareció sorprendido de tener la copa adelante. En menos de un minuto la había vaciado.

—Si me acompaña tomaría otro medio —señaló la botella.

Temí que el vino lo pusiera peor.

—Vamos a otro lado. Aquí van a cerrar.

Miré a los costados. En el salón no quedaba más que el petiso que no se perdía detalle.

Tenía una impecable peinada a la gomina con la raya alta y su pecho apenas asomaba encima de la mesa.

—Está bien —suspiró y chistó al mozo que vino apurado, contento de que nos fuéramos. Rocha sacó una billetera de cuero deshilachado.

—Yo pago —dijo. Tenía un endeble aire de superioridad. Dispuesto a no dejarme atropellar le dije:

—No, no, pagamos a medias.

Sonrió. Su sonrisa subrayaba mi pequeña miseria y agrandaba su falsa dignidad. Sacó unos billetes y se los tendió al mozo. El pelado sonrió a su vez y se quedó inmóvil mirando a Rocha.

—Ya está pago, señor —dijo y miró a la mesa donde el petiso se había puesto de pie.

—El doctor los invita —agregó el mozo con un tono que mostraba cuánto respeto tenía por el doctor.

Me preparé a agradecerle como correspondía, pero Rocha ya estaba preguntando con el tono resentido de un mocoso al que le quitan el chupetín de la boca:

—¿Qué doctor?

—Doctor Exequiel Avila Gallo, para servirles —dijo el petiso que ya estaba junto a nuestra mesa. Nos tendió una mano pegajosa y blanda.

Luego levantó un bastón tallado en madera y señaló la puerta.

—¿Les molestaría acompañarme con una copa, señores? —sonreía y al hablar el moño brincaba sobre el cuello regordete—. Quisiera conversar un momento con ustedes.

CAPITULO III

Atravesamos la plaza. La noche era tibia y la primavera había florecido los canteros. El doctor Avila Gallo cortó un clavel rojo y lo puso delicadamente en la solapa de su saco. No hablábamos; el doctor apoyaba su bastón con elegancia y Rocha se esforzaba por no sacarle ventaja. Yo me fui quedando atrás, oliendo el perfume del aire, mirando las débiles luces de la plaza. De pronto Avila Gallo se detuvo, levantó la cabeza, abrió los brazos como abarcando el universo entero y exclamó:

—Señores, así como lo ven, este pueblo ha sufrido tanto.

Rocha se frenó, hizo un difícil corte de cintura y se quedó mirando al doctor. Yo me paré también de modo que lo dejamos en el medio, en una posición un poco ridícula, con los brazos extendidos y el bastón apuntando a la torre de la iglesia. Suspiró, dejó caer sus pequeños brazos y bajó el tono de la voz.

—Nos hacía mucha falta tener una fiesta —dijo. Después me señaló con un dedo—: Usted va a cantar en el teatro Avenida para gente selecta, intachable; también estarán los militares y si promete no cantar alguna pieza subida de tono vendrán los tres miembros de la iglesia. Será un poco aburrido, pero para eso le pagan, ¿no? Lo importante es que le paguen.

Después miró a Rocha.

—Lo suyo es más popular, claro. En el club Unión y Progreso. Y cuídese porque Sepúlveda es una luz con la derecha. Siete nocauts seguidos.

Rocha escupió contra un árbol.

—Si le gana a usted, el chico pelea por el campeonato.

Rocha escupió otra vez, pero no dijo nada. Yo estaba pensando en mi público.

—¿Quiere decir que no cualquiera va a poder ir a escucharme?

—Naturalmente que no.

El tono de su voz quería mostrarme la distinción de que las autoridades me hacían objeto.

—¿No podríamos tomar algo? —dijo Rocha, que estaba apoyado contra el mismo árbol que antes había escupido. El doctor lo miró y se rió un poco por compromiso.

—A eso íbamos. En casa tengo unas botellas de borgoña. O whisky, si prefieren.

Frente al cine teatro Avenida había dos taxis y dos soldados con cascos y ametralladoras, como los de la estación. El doctor saludó y el tipo del primer taxi le contesto «cómo está doctor». Uno de los soldados se llevó la mano desocupada al casco y le hizo una venia respetuosa.

Hicimos diez cuadras a pie. Vivía en un viejo caserón de frente claro, recién pintado. Junto a la puerta principal una chapa anunciaba «Doctor Exequiel Avila Gallo, Abogado». Había una ventana a cada costado y más allá una pequeña puerta de hierro que debía llevar al fondo de la casa. El doctor abrió la puerta y nos invitó a pasar. Desde alguna habitación lejana llegaban las voces de los Bee Gees. Entramos al estudio, una pieza amplia, con una biblioteca de vitrinas donde había una colección encuadernada de «La Ley» hasta 1967. El escritorio del doctor estaba cubierto por una montaña de carpetas. Había tres sillones sobre los que se amontonaba el polvo y, al fondo, contra una pared que se descascaraba, un óleo de San Martín triunfante en Chacabuco. A su derecha colgaba la foto de un tipo de peinada antigua y mirada sombría. Como me quedé mirándolo un rato, el doctor me dijo:

—Ortiz, el único presidente civil valiente y honesto que tuvo el país.

Rocha asintió. El doctor nos indicó los sillones y tomó posición detrás de su escritorio. Yo me senté con cuidado para no ensuciarme, pero el grandote sacó el pañuelo y empezó a sacudir el polvo de la manera más grosera. Encendí un cigarrillo; Avila Gallo me miró, vació un cenicero en el cesto de papeles y vino a alcanzármelo justo cuando yo me paraba para ir a buscarlo. Nos encontramos a mitad de camino entre mi sillón y su escritorio; el doctor me apretó el brazo fraternalmente y acercando su cara a mi oído dijo en tono confidencial:

—¿Qué gustaría tomar? ¿Whisky? ¿Un buen vino? ¿Café?

Luego se dirigió a Rocha.

—Usted toma un buen borgoña, ¿verdad?

Rocha había hecho desaparecer el sillón bajo su cuerpo y parecía cómodo.

—Mientras no sea blanco —dijo.

Avila Gallo dejó escapar una risita suave y alegre que terminó en tono de amonestación.

—El borgoña nunca es blanco, mi amigo, por eso es borgoña. Ahora va a ver.

Salió por la puerta que daba al pasillo. Nos quedamos un rato en silencio hasta que Rocha me chistó. Estábamos a dos metros uno del otro pero era evidente que tenía la manía de chistar. Lo miré.

—Simpático el petiso, ¿no? —dijo.

Me llevé un dedo a los labios para pedirle silencio y él asintió. Nos miramos un rato sin hablar hasta que el doctor hizo su reaparición.

—Amigos —dijo, y volvió a esconderse tras el escritorio—, los he invitado a compartir una copa porque ustedes son personas de mi agrado, pero no puedo ocultarles que también me guía un sentimiento profesional.

Empezaba a interesarme. Hizo una breve pausa, algo teatral, y pareció agrandarse de golpe.

—Llevar una fiesta a buen término no es la misma zoncera de antes, señores, y ustedes lo saben tan bien como yo. En estos tiempos tan difíciles para la nación conseguir que una fiesta sea fiesta hasta el final no es moco'e pavo, perdonen la expresión.

—No, claro —dijo Rocha.

—Así es, usted tiene razón —el doctor lo miró con aire cómplice—, usted sabe bien que hoy hasta para cantar la marcha Aurora en la escuela hace falta coraje.

Nos estudió un rato. Yo apagué el cigarrillo sin dejar de mirarlo.

—Coraje, disciplina y patriotismo —sentenció y dejó caer las manos sobre la mesa—. Por eso un cerebro organizador, que vengo a ser yo, dicho sea con toda modestia.

Rocha seguía asintiendo, serio.

—Entonces usted es el que va a ocuparse de conseguirme la bata —dijo.

El doctor se quedó de una pieza.

—Un boxeador de su... —vaciló—, envergadura... ¿no tiene su propia bata?

Me pareció que Rocha se sonrojaba.

—Me la olvidé —dijo, y miró el suelo como si quisiera esquivar los ojos severos del doctor Exequiel Avila Gallo.

Nuestro organizador iba a decir algo, pero en ese momento la puerta se abrió y entró ella.

Estaba vestida con una solera floreada, cerrada en el escote y quizá un poco larga. Era alta, delgada, con una cara simple y limpia de maquillaje. El cabello negro era largo y lo había recogido con una peineta. Andaría por los veinte años y no tenía el estilo para romper los jóvenes corazones de Colonia Vela. Su mirada era ingenua, cuidadosa, como si sus ojos no vieran otra cosa que aquello que les está permitido ver. Nos dedicó una sonrisa tierna y depositó la bandeja sobre el escritorio.

—Mi hija —dijo el doctor—. Martita.

Nos pusimos de pie y ella nos tendió una mano blanca y frágil. Mientras yo se la estrechaba suavemente, oí al doctor pronunciar una de esas frases que ya no se escuchan:

—Ella es la luz de mis ojos.

Sus palabras quedaron flotando un rato. Volví a sentarme y los miré: el doctor seguía parado detrás de su escritorio, con las palmas de las manos apoyadas sobre las carpetas, admirando orgulloso a su hija; los pequeños ojos marrones de Rocha rodaban por el cuello suave de la piba, por el escote que no prometía demasiado, por los brazos flacos y pálidos. Ella sacó delicadamente su mano de entre las pinzas del grandote y se volvió para servirnos. Después dijo «permiso» y se fue tan silenciosa como había entrado. Rocha se sentó muy despacio, mirando la puerta que Marta había cerrado.

—Esto es un verdadero borgoña —dijo el doctor, reteniendo por unos instantes el trago en el paladar. Rocha pareció despertar, se llevó la copa a los labios y la vació de un viaje.

—Rico —dijo y se quedó mirando la copa.

Avila Gallo se dejó caer en la silla, decepcionado.

—¿Qué bata necesita? —le preguntó.

—¿Cómo dice? —el grandote estaba pensando en otra cosa.

El doctor tomó un lápiz y abrió una agenda.

—Ya veo que tienen sueño, así que no voy a retenerlos más tiempo por hoy. Le preguntaba qué tipo de bata necesita.

—Ah, una bata cualquiera, como para mí.

Traté de imaginarme dónde podría conseguir Avila Gallo una bata de ese tamaño. Quizá una carpa de circo le anduviera bien. El doctor anotó algo en la agenda y me miró.

—Usted tiene todo lo necesario, me imagino. Mañana puede escuchar a la orquesta y ensayar. El bandoneón no es malo.

Asentí, terminé el café y puse cara de cansado.

—Una última cosa, muchachos. En su lugar yo trataría de evitar el contacto con el público hasta el día del espectáculo. Por otra parte, en caso de encuentro con la prensa local yo les pediría, y éste es un favor personal, créanme, que no dejen de destacar el esfuerzo y la voluntad de las fuerzas armadas al organizar esta fiesta para la ciudadanía.

Anotó algo más en la agenda y se puso bruscamente de pie.

—Señores, nos veremos mañana en la misa.

Antes de que pudiéramos decir nada fue hasta la puerta, la abrió suavemente y llamó.

—¡Martita! ¡Los señores se retiran!

Rocha y yo nos miramos. Marta llegó sin que sus pasos se escucharan. Se había soltado el pelo que ahora se le ondulaba sobre los hombros. Tenía en las manos un pasquín de cuatro páginas, casi ilegible, cubierto de publicidad. Lo desplegó y se lo mostró a Rocha.

—Su foto está en el diario —dijo con una voz empujada por la timidez.

La cara de Rocha tenía diez años menos y era casi irreconocible en esas dos columnas recargadas de tinta. El título decía: «Llega hoy a Colonia Vela el fuerte pegador Tony Rocha.»

—Es la misma foto que salió en *Crónica* —dijo Rocha, agrandado—; el día que le gané a Murillo en el Luna.

Saludé a Marta y al doctor y salimos a la vereda. Me di cuenta que me dolía la cabeza y sentí que la noche era más calurosa. En el pasillo, Rocha se despidió de Marta con un cuchicheo apurado. Avila Gallo nos dio la mano otra vez y nos dedicó grandes sonrisas. Tenía apuro por tirarme en la cama. En la esquina Rocha me dio una palmada en la espalda y me dijo:

—Mañana firmes en la misa, ¿eh?

No abrí la boca. Estaba empezando a arrepentirme de no haber alquilado una pieza para mí solo. El grandote insistió:

—¿Qué le pasa? ¿No cree en Dios?

Seguí caminando sin contestarle. Me agarró de un brazo y suavizó el tono.

—Hágame la gauchada, Galván. Siempre voy a rezar antes de cada pelea.

—Me duele la cabeza —le dije.

Crucé la calle y apuré el paso. En un instante estaba otra vez conmigo.

—¡Me hubiera dicho, viejo! Cuando lleguemos a la pensión le hago un masaje en la frente y listo. Yo sé mucho de estas cosas. Como ando sin entrenador... Imagínese que me duela la cabeza antes de pelear..., tengo que saber, ¿no?

Me paré en seco.

—¡Déjeme de joder! —grité—. ¡Vaya a misa o tírese al río, pero déjeme de joder! ¡No quiero oírlo más en toda la noche!

Esta vez no me siguió. Cuando llegué a la pensión apagué la luz enseguida.

CAPITULO IV

Me sacudieron como si la casa se incendiara.
Me desperté sobresaltado y vi la mano de Rocha
que seguía zamarreándome un hombro. Había
prendido todas las luces y estaba parado al costado de mi cama, vacilante. Tardé unos instantes en despabilarme y sentir que la cabeza me
seguía doliendo. Antes de que pudiera gritarle que
desapareciera de mi vista hizo un mohín y dijo:

—Le traje un admirador.

Parado en el umbral había un tipo petiso,
vestido con traje de pantalón bombilla y un
sombrero a lo Gardel. Apoyaba la guitarra en el
piso y hacía pinta como para una fotografía.

—Perdóneme —dije—, no me siento bien y
quisiera dormir si no les molesta.

Rocha pareció decepcionado.

—Este muchacho es cosa seria con la guitarra
—dijo y lo señaló con el pulgar.

—¡Pase Romerito! ¡Venga a saludar al maestro! —gritó.

Romerito casi se me tira encima para darme la mano.

—Gran muchacho —dijo Rocha y empezó a desvestirse. El muchacho tendría unos sesenta años bajo el sombrero.

—Encantado de conocerlo, señor Galván —dijo y volvió a la posición de arranque, apoyado en la guitarra.

—Mucho gusto —le contesté—. Un placer conocerlo. ¿Qué le parece si mañana tomamos un café y charlamos? Ahora estoy un poco cansado, se imagina.

—La intensidad que usted alcanza en *Madreselvas* sobrepasa el sentido mismo de la melodía —soltó, imperturbable.

—Gracias —le dije—, mañana hablamos de eso.

—Uno puede tocar las madreselvas con el oído al escucharlo.

Me di cuenta de que no iba a sacármelo de encima así nomás. Tendí la mano hacia el atado de cigarrillos, pero antes de que lo agarrara Romero ya estaba ofreciéndome uno de los suyos.

—Ahora, los tangos nuevos que usted hizo, ésos... digamos... de protesta... ésos se me escapan, le soy sincero.

Me dio fuego.

—A mí también —le dije—, hace tiempo que ya no los canto.

Abrió el brazo libre, hizo un gesto de comprensión y echó el cuerpo ligeramente hacia adelante.

—El horno no está para bollos —dijo.

Buscó con la mirada un lugar donde sentarse pero no se decidió.

—Por otra parte —murmuró acentuando un aire crítico—, el tango no tiene que mezclarse con la política.

Como no le contesté dio una pitada al cigarrillo y agregó:

—Digo, ¿no?

—Así que usted también canta —comenté por decir algo.

Puso cara de modesto, miró la guitarra y la acarició como a un perro compañero.

—Tengo alguna experiencia —dijo—. De chico nomás ya estaba inclinado para el arte.

Iba a contarme su vida. En la otra cama Rocha empezó a roncar como un elefante, pero Romero no lo escuchaba.

—Entonces tuve la suerte de conocerlo al maestro.

Otro más, pensé. Su voz se hizo más solemne.

—Cuando fue a Tandil, en el treinta y tres. Yo era un purrete, claro.

—Y Carlitos le dijo que usted tenía el futuro en la garganta.

—Exactamente —entrecerró los ojos—; me llevó al camarín y me pidió que cantara. Le hice *Medallita de la suerte*. Con una guitarrita así nomás, una Parkington, me acuerdo.

Pensé que Gardel debió haber sido un tipo de paciencia infinita.

—Ahora, después, ya de grande hice algunas incursiones por la Capital, pero no tuve suerte.

Bajó la vista, como si un mal recuerdo se le hubiera acercado de golpe. De pronto puso descaradamente un pie sobre mi cama, se echó la guitarra sobre el pecho del que colgaba una corbata finita y negra y se mandó el punteo de algo que quiso ser *Volvió una noche*. Se interrumpió.

—Uno que hoy es famoso, y no quiero nombrar por delicadeza, me movió el piso cuando yo estaba por entrar en la orquesta de D'Agostino —hizo una pausa—. Año cuarenta y ocho.

Asentí para seguirle la corriente. Me amagó con *Malena*, pero volvió a pararse.

—En ese tiempo para hacer carrera había que ser peronista...

Me estudió. Como yo seguía impávido, agregó:

—No es que yo fuera contreras, no crea —hizo sonar una nota grave.

—¿Y ahora? —lo apuré.

—Bueno, ahora... a veces me parece que ya es un poco tarde para mí. Siempre hay una esperanza, claro, y más cuando un cantor de su categoría tiene la oportunidad de escucharme.

—Quise decir si ahora las cosas son distintas.

Se puso serio y empujó otra vez la nota grave.

—Bueno, mire —se decidió—, a mí la política siempre me trajo mala suerte, por eso le decía que tango y política no van. Fíjese que sin ir más lejos, en el setenta y cuatro habíamos formado una orquestita subvencionada por la municipalidad, por don Ignacio Fuentes, que era delegado municipal y en paz descanse, cuando se vino la maroma y los muchachos quemaron casi todo el pueblo.

—¿Maroma?

—Acá, en Vela —y agregó, orgulloso—: veintidós muertos en un solo día. No fue un chiste, le aseguro. Felizmente hace tres años que tenemos a los militares aquí. Ya hicieron una escuela y un cuartel.

Rocha se dio vuelta en la cama, bufó y cambió el ritmo de los ronquidos. Yo apagué el pucho e hice ademán de acomodar la almohada. Como el tipo no se dio por aludido y seguía allí parado, bostecé y lo miré fijo.

—Le agradezco mucho su atención —dijo, y volvió a rascar la guitarra—. Le voy a dedicar esta pieza que compuse con don Juan Honorio y que todavía no ha sido estrenada. Demás está decirle que si usted la encuentra bonita tiene nuestra autorización para incluirla en su repertorio. Se intitula *Tristeza de olvido.*

Antes de que yo pudiera decir nada se largó. Tenía una voz aguda y gastada y un borracho cantando el himno hubiera pegado más notas. Cuando promediaba se mandó un gorjeo lamentable. Rocha, alarmado, pegó un salto y se sentó en la cama como sonámbulo.

—¿Qué pasa? —preguntó mientras abría desmesuradamente sus ojos pequeños. Romero siguió adelante, como quien ignora a un público desatento. Le dio una paliza a las cuerdas y cuando elevó la voz Rocha se paró, lo agarró del saco, lo levantó medio metro y empezó a transportarlo hacia la puerta.

—¡Andá a gritar a la cancha, jetón! —rugió. Impasible, Romerito seguía dándole a la guitarra mientras sacudía las piernas en el aire. Los vi salir, escuché la guitarra y la voz de Romerito unos segundos más y luego el estruendo de algo que se estrella contra el suelo.

Rocha volvió y enfiló derecho para su cama, todavía embotado. Antes de acostarse me gritó, furioso:

—¿Está loco? ¿Cómo me trae un tipo a cantar en la pieza a esta hora?

CAPITULO V

A las siete y media de la mañana nos despertó un soldado que venía de parte del doctor Avila Gallo. Dijo que la misa era a las nueve y se quedó esperándonos en la puerta. Abrí una celosía, miré hacia la calle y vi un gran auto negro al que habían lustrado hasta los neumáticos; de la antena colgaba una pequeña bandera argentina y la patente tenía el escudo y unos pocos números.

Rocha se bañó y se afeitó en cinco minutos. Yo le dije al soldado que prefería ir caminando, lo que lo obligó a telefonear a alguna parte para pedir la autorización de no llevarme. Salieron. Miré por la ventana y vi que Rocha se sentaba en el asiento trasero y el soldado le cerraba la puerta antes de ir al volante. Tres viejas y dos tipos con pinta de jubilados aplaudieron hasta que el coche arrancó. Terminé de vestirme y salí a la calle.

Era un pueblo chato, de calles anchas, como casi todos los de la provincia de Buenos Aires.

El edificio más alto tenía tres pisos y trataba de ser una galería a la moda frente a la plaza. La gente caminaba en familia y los altoparlantes gruñían una música pop ligera que de pronto se interrumpió para indicar, quizá, que la misa iba a comenzar. Lentamente la gente fue desapareciendo, como si las campanas de la iglesia anunciaran el comienzo de un toque de queda matinal.

En la esquina había un bar. Pedí un café con leche con medialunas, pero como era día de fiesta tuve que comer tostadas. No sé si el mozo me reconoció, pero antes de servirme estuvo hablando al oído del patrón. Detrás del mostrador había una foto de Carlitos con Leguisamo. Estuve un rato mirándole la estampa al Morocho hasta que una voz amable me hizo girar la cabeza.

—¿Me paga un café con leche, don?

El tipo estaba envuelto en un impermeable de gabardina gris claro que tenía más manchas que un cielo de tormenta.

—Claro —le dije—. Pedilo.

De golpe, escuchándome tutear a ese tipo de edad incierta, me sentí incómodo.

—Siéntese —agregué.

El hombre se sorprendió. Miró al patrón y me preguntó:

—¿Seguro?

—¿No quería tomar un café con leche?

—¿Y me puedo sentar?

Asentí. Se sentó con cuidado, como quien prueba si la silla va a resistir. Del bolsillo del impermeable sacó un termo viejo y limpio y lo dejó sobre la mesa. Después se estuvo mirando un rato largo mientras yo pedía su café con leche y más tostadas. Se estudiaba, se veía estirar las piernas por debajo de la mesa como si ellas tuvieran autonomía propia. Luego encontró el espejo a su derecha y echó un vistazo a la escena completa: él y yo. Yo le estaba ofreciendo un cigarrillo; él lo miró, acercó la mano, se frotó los dedos entre sí para quitarse cualquier cosa que pudiera impedirle gozar el tacto, y lo tomó.

—A usted lo conozco —dijo.

Se fue desabotonando el piloto con cierta delicadeza, con un gesto que le salía desde muy adentro y tenía algo de elegancia echada a perder. El mozo trajo el pedido y lo miró feo antes de irse.

—Cómo no lo voy a conocer. De escucharlo, digo.

Volvió a mirarse en el espejo.

—El tiempo que hace que no me sentaba aquí... Este bar lo hice yo, ¿sabe?

—¿Cómo es eso?

Mi voz debe haber sonado incrédula o sobradora porque me tiró encima los ojos duros, de un gris acero. Con los dientes amarillos se mordió algunos pelos de la barba.

—Yo fui albañil.

No dije nada y empecé a tomar el café con leche a sorbos lentos.

—Primero éste fue un lugar para gente bien —hizo una pausa—. Eso fue hace años.

Mordí una tostada. La calle seguía desierta y en el bar estábamos solos, aparte de un muchacho que hablaba con el mozo.

—Después se vino abajo y empezó a venir cualquiera. Pero igual a mí no me dejaban entrar. Vengo a mangar el café, lo meto en el termo y me las tomo antes que el patrón se cabree. Casi siempre hay alguien que le paga el café al loco.

Una mosca revoloteó sobre la mesa y fue a pegarse contra el vidrio que mostraba la plaza.

—¿Quién dice que usted es loco?

—La gente del pueblo.

—Bueno, ¿y es o no es?

—¿Qué importa? En este momento para el patrón del bar el loco es usted por dejarme sentar aquí. Si usted se levantara para ir a mear, me sacaría a patadas.

Estuvimos ocupados en el desayuno por un rato, sin hablar, mientras los cigarrillos se consumían apoyados en el cenicero.

—Usted vino para la fiesta —dijo al fin.

Le contesté que sí.

—¿Y nunca había estado en Colonia Vela?

—No.

—Entonces no sabe lo que eran las fiestas de antes, sin que nadie venga a decir hoy es fiesta y mañana no. Duraban hasta que uno quería o hasta que no daba más el cuero.

—¿Hasta cuándo fue eso?

—Uf, hace mucho; yo era pibe y recién llegaba del sur.

—¿Y después?

Se rió un poco, espantó la mosca y me hizo una seña para que le diera otro cigarrillo.

—Después los tiempos cambiaron y yo me fui haciendo viejo. Todos nos fuimos haciendo viejos. Ya ve, casi no hay gente joven en el pueblo.

—¿Y eso?

Me miró un rato, como para adivinar si era tonto o me hacía. Al fin se encogió de hombros y largó el humo con fuerza.

—A muchos los mataron, otros se fueron.

Le pregunté si quería tomar un cognac y me dijo que con mucho gusto. Los pedí. Las campanas de la iglesia empezaron a sonar otra vez y la gente salió de misa. Al rato la plaza volvió a estar viva. Era imposible imaginar de dónde salía tanta gente a no ser que la iglesia tuviera lugar para mil personas. El bar empezó a llenarse y no había nadie que no nos mirara al entrar. La cosa me divertía y podía ver de reojo cómo hablaban de nosotros en voz baja.

—Me dan lástima —dijo de golpe—. Son capaces de vender el alma por unos pesos y después van a misa para hacerse perdonar.

—No todo el mundo es así.

—No, claro, no soy tan tonto para pensar

eso. Pero éstos, los del domingo a la mañana...
mírelos. Casi todos tienen un pariente muerto.
El pariente más joven, el loco de la familia. Se
consuelan unos a otros como si se los hubiera
matado la epidemia.

—¿Y usted qué hacía cuando la epidemia?

—¿Yo? Lo mismo que ellos. Ver, oír y callar-
me la boca. Más viejo es uno, más se agarra a
las cosas mezquinas, más acepta, más miedo
tiene de perder las poquitas porquerías que consiguió.

Los abarcó a todos con una mirada de desprecio y detuvo los ojos sobre el cenicero.

—¿Por qué me dice todo esto? —le pregunté.

—No sé. Ganas de hablar, nomás. Yo tenía
un amigo antes y a veces nos quedábamos la noche entera hablando. Un filósofo, el tipo. Decía
que andar con poca plata no arregla nada y es
aburrido, entonces mejor no tener nada.

—¿Quién era el filósofo ese?

—Un croto como yo. No podría decirle que era
un tipo que tenía esto o aquello para que usted lo
ubique. Era pelado, eso sí. Un tipo que sabía
sobre la vida.

—¿Y qué se hizo de él?

—Lo mataron. Apenas si lo pude poner en
una bolsa para enterrarlo.

—¿Por qué?

—Lo confundieron con un pibe que andaba
escapando a la noche. Era cuando los milicos
recién llegaban y no dejaban perro con cola.

Por la puerta de la esquina entró Marta con paso inseguro, como si no tuviera la costumbre de mostrarse ante tanta gente. No debe haber aguantado las miradas porque se colgó del brazo del doctor Avila Gallo que venía detrás saludando a todo el mundo. Después entró Rocha, seguido de otros dos tipos que no le llegaban a los hombros. Rocha se paró, miró mesa por mesa y por fin, inevitablemente, me encontró y vino hacia nosotros.

—¿Qué le pasó? —me dijo con pinta de matón barato.

—Qué le importa —contesté.

—Lo esperamos en la misa. El doctor está furioso. Lo hizo quedar como la mona con la gente.

Entonces vio al tipo que estaba conmigo. Lo estudió un rato sin entender muy bien y lo señaló con un toque de cabeza.

—¿Y a este ciruja de dónde lo sacó?

El tipo se miró otra vez al espejo y sonrió.

—El señor me invitó a desayunar —dijo.

Rocha lo miró otra vez. Estuvo a punto de creerlo, pues el tono de su voz no sonó muy convencido.

—Oiga, no joda. Anoche se trajo un tipo a meter bochinche en la pieza y ahora se junta con un ciruja. ¿Está loco?

—Siéntese. ¿Qué quiere tomar?

Se inclinó para hablarme al oído, gesto que podía verse desde la estación.

—El doctor está enojado con usted —susurró.

—¿Porque no fui a misa?

Asintió gravemente.

—Los deportistas y los artistas tenían que estar en la iglesia —dijo.

El croto nos miraba, divertido. Rocha se agachó otra vez y volcó una de las tazas con el codo.

—Venga —murmuró y me guiñó un ojo—, voy a tratar de amigarlo con el doctor.

—No me interesa —le dije—. Yo vine a trabajar, no a confesarme.

Pareció no entender. Se dio vuelta y miró inquieto a la mesa donde Avila Gallo bromeaba con sus amigos. El croto terminó de sacudirse el café con leche que Rocha le había tirado encima, miró por la ventana y dijo:

—Ya me voy yendo.

Se levantó, se abrochó lentamente el impermeable y me tiró la mano.

—Gracias por la invitación —dijo.

Me paré y le di la mano. A medio camino hacia la puerta se detuvo y se volvió para mirar a los parroquianos. El pelo largo, la barba despareja y el bigote desteñido le cubrían la cara, pero tenía los ojos encendidos y su mirada se abría paso entre el humo del bar. Dijo algo que no entendí a causa del ruido y salió. Rocha me agarró de un brazo y acercó su bocaza a una de mis orejas para gritar:

—Venga al baño, tengo que hablarle.

—Dígamelo aquí. No quiero saber nada con usted.

Se sentó de mala gana en la silla que había dejado el croto.

—El doctor está cabrero con usted.

—Eso ya me lo dijo. ¿Por qué se hace mala sangre?

—¿Vio la pintada?

—¿Qué pintada?

—En la calle. Frente a la iglesia. «Andrés Galván, cantor de asesinos», dice.

—¿Qué? —Salté en la silla. Me di cuenta de que no bromeaba.

—Así decía. Los soldados la están tapando con cal.

Me miraba apenado. Estiró su largo brazo sobre la mesa y me sacudió fraternalmente un hombro.

—¿Anduvo metido en líos, viejo?

Le dije que no. Cerró sus dedos sobre mi omóplato y con la voz más ronca que pudo sacar me dijo:

—Cuente conmigo, che.

Seguía agarrándome del hombro y la gente empezaba a divertirse.

—Es por eso que el doctor anda cabrero, ¿no? —dije.

Bajó el brazo.

—El doctor tiró la bronca porque usted no fue a misa.

—Después que vio los carteles.

—Sí, pero eso no es culpa suya, Galván. Por ahí fue alguno que quiso darle la cana...

—Usted no entiende. ¿Cuánto hace que no lee los diarios?

—¿Qué tiene que ver? Lo leí ayer el diario. Salió mi foto y la suya no, por eso usted...

—¡No sea pelotudo! —me di cuenta que había gritado. Rocha no se movió; me fijó sus ojos aguachentos y me pareció que enrojecía un poco.

—No me diga eso —murmuró—. Nunca delante de la gente.

—Vamos a discutir afuera —dije manteniendo el tono cortante.

Sus ojos echaban chispas.

—Antes retira lo dicho.

Empecé a sentir el silencio de las mesas vecinas. Un silencio que nos dejaba como únicos protagonistas y que tenía sin cuidado a Rocha.

—Está bien —dije—, retiro lo dicho.

Se aflojó y suspiró aliviado por no tener que romperme el alma. Iba a sacarme un cigarrillo pero se acordó de que todavía estaba un poco ofendido y se quedó jugando con una cucharita.

—Tengo que volver con el doctor —dijo.

—Antes acompáñeme a ver la pintada.

Vaciló, miró hacia la mesa de Avila Gallo y se levantó. Lo empujé suavemente hasta la puerta y se dejó llevar.

Cruzamos la plaza. Era casi mediodía y había menos gente paseando. Frente al teatro había un Falcon verde. Un gordo en mangas de camisa apoyaba su ametralladora en el capó y sudaba a mares. Un poco más allá, sobre el paredón de la Sociedad Española había un jeep del ejército. Dos soldados cargaban baldes y brochas mientras otro esperaba al volante. Una docena de curiosos miraban desde la vereda de la plaza.

—Ahí —dijo Rocha—. Ahí estaba escrito.

Los soldados habían pintado la pared con cal, pero aún podía leerse:

Andrés Galván
cantor de asesinos

—Espere que se vayan —dije.

El jeep arrancó y cuando dobló en la esquina cruzamos la calle. Desde cerca, el letrero se leía más claramente: lo habían escrito con aerosol negro y hubieran hecho falta cinco manos de pintura blanca para taparlo. En la ochava podía leerse todavía lo que yo buscaba. Tomé de un brazo a Rocha y lo llevé hasta allí. Se quedó mudo, acercándose y alejándose de la pared recién teñida de blanco para convencerse de que no era una ilusión.

En cada Rocha
un torturador

Lo leyó cinco o seis veces, moviendo apenas los labios, subrayando su nombre. Después se dio vuelta y me miró desolado.

—Nunca le hice nada a nadie —dijo—. Yo no me meto con nadie, ¿por qué escribieron eso?

Fue hasta la plaza y se sentó en un banco. Parecía vencido, como si alguien acabara de anunciarle una noticia terrible.

La campana de la iglesia dio las doce y la plaza se quedó desierta de repente. El sol estaba haciéndome transpirar y empecé a sentir sed. Iba a decírselo a Rocha cuando el Falcon que estaba frente al teatro se movió lentamente y se acercó a nosotros. El gordo de la ametralladora se bajó y detrás de él vino un morocho de unos veinticinco años que estaba montado sobre tacos altos. Vestía pantalón y campera jeans y llevaba anteojos negros. De la cintura le asomaba la culata de un revólver. Debía creerse Gary Cooper. El gordo se apoyó la ametralladora sobre un hombro para mostrar que la mano venía amable.

—Andrés Galván, la voz de oro del tango —dijo.

Me quedé mirándolo. El gordo se volvió y le dijo a Gary Cooper:

—Goyeneche, Rivero y Galván; después, pará de contar —hizo una pausa—. Aparte del Mudo, claro.

El morocho no dijo nada. Por la pinta parecía más cliente de los Rolling Stones. El gordo miró a Rocha.

—Usted no es ningún Monzón —dijo y se rió cortito—, pero no me gustaría recibir una piña suya.

Rocha miró la ametralladora. Seguía deprimido. El gordo volvió a hablarle al morocho.

—A vos te gusta el boxeo, ¿no? Aprovechá para pedirle un autógrafo.

El pibe arrastró los zapatones, fue hasta el auto y volvió con un cuaderno. Tenía un andar perezoso y tardó en llegar hasta Rocha. Le tendió el cuaderno abierto. El gordo sacó una lapicera y se la dio. El grandote firmó y le devolvió el cuaderno. Después el gordo me lo pasó a mí.

—No firmo autógrafos —dije.

El gordo me estudió un rato y al fin se rió.

—No joda —dijo—, Rivero me firmó. Con dedicatoria y todo.

—Rivero firma. Yo no tengo costumbre.

El gordo bajó la ametralladora del hombro y la apoyó en el suelo. Estaba empapado de sudor y no tenía ganas de discutir.

—Cuando agarre al que escribió eso en las paredes se lo voy a traer mansito —dijo. Me tendió el cuaderno pero yo no me moví.

El aire empezaba a ponerse pesado.

—Déle, firme, no se haga el estrecho —dijo.

—No lo tome a mal, pero no firmo —le expliqué.

Se quedó callado un rato y fue a sentarse al banco, junto a Rocha. Se golpeaba una rodilla con el cuaderno donde la caligrafía de Rocha ocupaba media hoja.

—«Cantor de asesinos» —dijo—. ¡Lo escracharon lindo los muchachos! —empezó a reírse sin ganas. Sacó un pañuelo y se lo pasó por la frente. Dejó de reírse y empezó a gritarme como en la colimba.

—¡Yo me rompo el culo para que usted ande paseando tranquilo! ¡Hace una semana que duermo dos horas y como sánguches para que la gilada tenga fiesta y usted me niega un autógrafo!

—Mire —argumenté—, es una costumbre y...

Pegó un alarido que debe haberse escuchado a diez cuadras a la redonda:

—¡Métaselo en el culo! ¿Me oyó? ¡En el culo!

Rocha nos miró y se quedó esperando que yo hiciera algo. Tal vez quisiera que yo me sacara el saco y lo invitara a pelear. Me oí decir una estupidez:

—Retire lo dicho.

Si uno se junta con tipos como Rocha puede llegar a decir cosas así. El gordo se paró y miró al morocho como pidiéndole confirmación de lo que había oído.

—¿Cómo dijo? —se me acercó con paso fatigado, arrastrando la ametralladora y me alivió ver que no parecía dispuesto a usarla. Pensé que era mejor disculparme. Entonces Rocha, con voz firme y desafiante, dijo:

—¡Le pidió que retire lo dicho!

El gordo lo estuvo campaneando un rato y sonrió sin ganas.

—Compadritos, ¿eh? —dijo con tono cansado—. Se creen que porque salen en los diarios se pueden cagar en la policía, ¿no?

El morocho se acercó y mientras se peinaba con los dedos, le dijo:

—Acá no, Gordo. Mejor los llevamos.

Era un tipo práctico. Sacó el revólver y nos hizo señas de que fuéramos hacia el auto. Arriba de los tacos mediría un metro sesenta. Rocha se paró y lo miró con desprecio.

—Con un bufoso cualquiera es macho —dijo y escupió sobre el césped.

Cuando vio que el morocho sacaba el revólver, un hombre más viejo, flaco y gastado, se bajó del coche.

—¿Qué pasa? —preguntó y nos señaló con la metralleta corta que le colgaba del brazo derecho como si fuera una mano deformada.

—Se hacen los piolas —dijo el morocho.

—¿Están en pedo? Estos vienen a la fiesta. Vamos, déjense de joder.

Empezaron a moverse. El morocho se dio vuelta de golpe y estrelló el caño del revólver contra la mano izquierda de Rocha. El grandote se agachó y se tomó los dedos con la otra mano.

—A ver cómo sacás la zurda ahora —dijo el morocho.

Subieron al auto y arrancaron despacio. El gordo, que llevaba un brazo colgando de la ventanilla, asomó la cabeza y me gritó:

—Acordate, Voz de Oro, me debés un autógrafo.

Me acerqué a Rocha. Entre los nudillos de la mano izquierda tenía un poco de sangre. Abría y cerraba los dedos mientras apretaba los dientes y resoplaba por la nariz. Me miró sin buscar compasión, sin reprocharme nada.

—Déme un cigarrillo —dijo.

CAPITULO VI

Envolví unos cuantos cubitos de hielo en una servilleta y Rocha se los puso sobre la mano lastimada. Estaba sentado contra el respaldo de la cama, las piernas estiradas sobre la colcha y me pidió que le sacara los zapatos. Calzaba el 46 y le quedaban tan ajustados que tuve que usar el mango de una cuchara para quitárselos. La vieja de la pensión me vendió dos cervezas y las estuvimos tomando de a poco mientras yo trataba de convencerlo de que lo mejor era agarrar el tren de la noche y volver a Buenos Aires. Pero más se le hinchaba la mano, más se empecinaba.

—No es cuestión de amor propio —insistí—. Usted no está en condiciones de pelear y cualquier médico va a decirle lo mismo que yo. En cuanto a mí, si la policía toca a un compañero yo no canto ni que me paguen el doble.

—Si usted se cagó es cosa suya. Yo voy a pelear. A mí no me basurea nadie.

—Escúcheme...

—Nada que hacer, mi viejo. Váyase usted si quiere. Deje la guita para la pieza y se va. Yo me quedo y los peleo a todos si hace falta. ¿Se cree que no me doy cuenta? Esos carteles y los matones estaban ahí para achicarme. Eso es más viejo que el pedo en el oficio. En el interior es siempre lo mismo…

Iba a intentar explicarle cuando golpearon a la puerta. Antes de que pudiera levantarme, el doctor Avila Gallo y un rubio bigotudo, trajeado de negro, entraron en la pieza. El doctor parecía nervioso y cuando vio a Rocha en la cama puso cara de dolido.

—No sabe cuánto lo lamento, campeón —dijo y se avalanzó sobre la mano del grandote—. Hay que ir al hospital enseguida. Un par de pastillitas y mañana está como nuevo. Vamos, tenemos el coche del comisario afuera.

—Y después pasamos por la comisaría a hacer la declaración —dijo el bigotudo—. Antes que ustedes se vayan vamos a agarrar a los tipos esos.

—Ellos dijeron que eran policías —dije.

El bigotudo me miró feo y luego sonrió.

—Lo de siempre —dijo—, cualquiera que tiene un arma se dice policía y así queda el prestigio de la institución. Pero ya estamos terminando con eso. Yo les aseguro que mañana mismo esa gente estará detenida. Tengo a todo el destacamento buscándolos.

—¿Vio? —dijo Rocha—. Es una campaña para

desalentarme, para que el chico de acá me agarre desmoralizado. En estas cosas yo ya estoy de vuelta.

—Tiene razón —se entusiasmó el doctor—. Por eso tiene que poner el corazón para no perder su invicto.

—Bueno, invicto no soy —dijo Rocha—, en Villa María me hicieron como acá y me robaron la pelea. Por eso le digo que éstas me las sé todas.

Escupió entre la cama y la pared. Yo miré al bigotudo que estaba firme como un poste.

—¿Usted es el comisario? —pregunté y me recosté en la silla.

—Sí, señor. Comisario inspector Baltiérrez.

—¿Quién pintó los carteles en la pared? —largué.

Me miró de la misma manera que lo había hecho el gordo cuando le dije que no firmaba autógrafos. Por fin me contestó:

—Muchachones, bandidos, algún tonto que como siempre está contra lo que se hace por el pueblo. Pero para su tranquilidad le digo que ya no quedan más que unos pocos y lo único que pueden hacer es pintar paredes —sonrió y bajó la voz—: triste trabajo pintar leyendas contra los ídolos populares, ¿no?

—Tan triste como cuidar el teatro con un montón de matones que amenazan con revólveres para conseguir un autógrafo.

Se puso las manos en los bolsillos y vino hacia la silla donde yo estaba sentado. Se me paró tan cerca que la hebilla de su cinturón casi me tocaba la nariz.

—Usted está nervioso, señor Galván —me ordenó.

—Muy nervioso —dijo Avila Gallo que se pasaba un pañuelo por la frente—. Y se les puede perdonar, comisario, se han pegado un susto bárbaro.

Guardó el pañuelo y se dirigió a Rocha:

—Usted, campeón, póngase los zapatos que vamos al hospital.

—No es para tanto —protestó el grandote—; no hay nada roto.

—No importa —insistió Avila Gallo—, que lo vea el doctor Furlari y yo me quedo más tranquilo. El doctor Furlari va a ser el médico de la pelea.

Levantó los zapatos y se los alcanzó.

—Tome m'hijo, métale.

Rocha me buscó con cara de perro apaleado; le puse los zapatos mientras el comisario consultaba su reloj dos veces seguidas y el doctor decía con voz firme, incontestable:

—Y después usted se viene a mi casa para que lo cuidemos hasta la hora de la pelea.

—No, si yo estoy bien aquí con el amigo...

—Nada de amigos —el doctor era rotundo—, lo primero es el deporte y la obligación con el público. El señor Galván no tendrá problemas en quedarse una noche solo. Después de la pelea haga lo que quiera pero antes, perdóneme, lo tomo bajo mi responsabilidad. Tiene que llegar en forma a la balanza.

Rocha miró cómo el doctor agarraba su bolso. Tenía ganas de protestar pero estaba demasiado preocupado por la mano, que ya se había puesto grande como una guitarra.

—Venga a verme —me dijo Rocha—. Si se queda y me quiere saludar antes de la pelea, aquello que me dijo ya se lo disculpé, así que...

—Gracias —le dije—. Mañana paso a visitarlo. Y cuídese, dicen que el muchacho de aquí es peligroso...

Me arregló la corbata con la mano derecha.

—Lo saco en el tercero. —Peló un billete grande y me lo puso ostentosamente en el bolsillo del pañuelo.

—Pague la pieza y después me da el vuelto.

Salieron. Antes de cerrar la puerta, el comisario se volvió y con cara desafiante me preguntó:

—¿A usted quién lo contrató?

—El capitán Suárez —dije. Y remarqué «capitán».

Cerró la puerta con demasiada fuerza.

Tenía hambre. Le pedí a la vieja de la pensión que me hiciera un sándwich y me tiré a hacer una siesta.

A eso de las cinco de la tarde golpearon la puerta con algo más fuerte que un puño. Pegué un salto, me calcé el pantalón y abrí. Si los recuerdos de la colimba no me fallan lo que había allí era un sargento primero y detrás de él un soldado alto y flaco. El soldado tenía el fusil por el caño, como al descuido.

—Andrés Galván —dijo el militar.

—Sí.

—Tiene que acompañarme.

Fui a ponerme la camisa y los zapatos mientras el sargento y el soldado entraban a la pieza y miraban los rincones.

—¿Adónde vamos? —pregunté.

—Al comando —dijo el sargento.

El asunto no me gustaba, pero no era cuestión de ponerse a discutir. Cinco minutos más tarde subimos al jeep. La dueña de la pensión nos siguió hasta la puerta sin decir nada pero se aseguró que yo no me iba con la valija. Pasamos tres puestos de control en los que nos revisaban como si los tipos que me llevaban fueran extraños. El jeep paraba a cien metros de la barrera, el sargento, el soldado y yo bajábamos, nos parábamos en el medio de la calle y el sargento empezaba a los gritos diciendo quiénes éramos y para dónde íbamos. Un suboficial y un soldado se adelantaban y venían hasta nosotros, miraban los documentos, el jeep y mis bolsillos. En el último puesto, después de toda la ceremonia, el que nos revisó le dijo al sargento «cómo te va, Carrizo».

Me dejaron en una pieza amplia donde había cuatro colimbas descansando sobre bancos de madera. Cada vez que sacaba los cigarrillos se me venían como moscas para que los convidara, pero no hablaban y se guardaban los fasos en los bolsillos. Una hora más tarde vino un soldado rubio, me dijo que lo siguiera y me hizo pasar a una oficina donde estaban colgados los retratos de todos los milicos habidos de San Martín para acá, menos Perón.

El capitán Suárez estaba vestido con ropa de fajina. Tenía los borseguíes lustrados como para ir al cine. Se había arremangado la camisa y los botones le abrochaban dificultosamente en el pecho amplio. Tenía poco más de cuarenta años y una cara apropiada para ese trabajo. A su lado había un tipo impecable, sonriente, al que yo conocía de la televisión.

—El señor Morales —presentó el capitán.

Le di la mano y aunque alguna vez nos habíamos tuteado, Morales me dijo «Cómo le va, tanto tiempo» (marcando el «tanto tiempo») y volvió a sentarse. No había silla para mí, así que me quedé parado cerca del escritorio. Suárez se repantigó, forzó un gesto serio de militar preocupado y me largó:

—Lamentablemente, señor Galván, su actuación en Colonia Vela ha tenido que ser suspendida.

No dije nada y lo dejé venir.

—Voy a serle franco —agregó—. Cuando lo contratamos no sabíamos que usted había sido... —buscó la palabra— ...exonerado de la televisión inmediatamente después de constituido el gobierno militar.

Miré a Morales que asentía. El hacía su trabajo después de quince años sin que nadie lo molestara y había quienes lo llamaban «un hombre de bien».

—¿Puedo saber la causa? —preguntó el capitán.

—Nunca la supe —contesté—; quizá siendo usted un miembro de las fuerzas armadas pueda explicármela.

Encendió un cigarrillo. Yo seguía parado allí, como un chico en penitencia.

—Permítame que le recuerde que sólo fueron retirados del servicio los extremistas y los corruptos.

—¿En cuál de los rubros me habrán incluido? —pregunté.

—No tenemos nada contra usted en el plano de lo delictivo económico —dijo y hojeó una carpeta que tenía delante suyo. Hubiera dado cualquier cosa por echarle un vistazo yo también. Miré la foto del presidente, que colgaba a espaldas del capitán Suárez.

—Usted insinúa que soy un extremista, capitán.

Le dolió que no le dijera «mi» capitán.

—Yo no insinúo nada —dijo, enojado—, cuando yo quiero decir algo lo digo sin vueltas. ¿Usted hizo la conscripción?

—Sí, señor, en Campo de Mayo.

—Entonces sabrá muy bien que un militar tiene una sola palabra.

Se paró de golpe, tirando la silla para atrás de manera que hiciera suficiente ruido. Lo debió haber ensayado porque le salía bastante bien.

—Señor Galván —dijo—, el doctor Avila Gallo va a pagarle sus honorarios puesto que mi palabra estaba empeñada y vale como cualquier papel firmado, pero le recomiendo que regrese a Buenos Aires esta misma noche.

Después volvió a sentarse y agregó:

—Buenas tardes.

Morales no hizo ademán de saludarme. Salí al pasillo donde estaba el conscripto rubio.

—¿Cómo hago para volver al centro? —le pregunté.

—Doy parte al sargento primero —dijo y se fue a buscarlo.

Después que pasamos las tres barreras de control me dejaron cerca de la estación.

CAPITULO VII

Empezaba a caer la tarde cuando llegué a la pensión. Mientras cruzaba el patio la vieja me salió al paso y me dijo que habían estado unos señores preguntando por mí. La puerta de la pieza estaba abierta. Habían revisado mi valija sin tomarse el trabajo de acomodar nada. La cama estaba deshecha y el colchón colgaba hasta el piso. Llamé a la vieja.

—Eran tres señores armados. Ya vinieron otras veces; cada vez que llega al pueblo alguno que no conocen vienen a mirar. Como están las cosas nunca se sabe, ¿no?

Le pagué. Me dijo que el tren para Buenos Aires pasaba a las 22.35 así que me puse a hacer la valija. Tenía un par de horas para despedirme de Rocha, cobrarle a Avila Gallo y comer algo antes de salir. Dejé la valija en la pensión y salí a las ocho y media. Las calles estaban vacías y al llegar a la plaza vi los obreros que instalaban luces y palcos para la fiesta que comenzaría al día siguiente. Sobre la misma pared donde a la mañana alguien había pintado los carteles, dos soldados terminaban de pegar un gran afiche que anunciaba:

Tony Rocha
challenger al título nacional
vs.
Marcial Sepúlveda
Invicto local

Domingo a las 22 Hs. en Unión y Progreso
Pueblo y Fuerzas Armadas unidos en el común
Destino de Paz y Grandeza

Cinco metros más allá había otro cartel:

Gran Circo Hermanos Corrales
Acróbatas-Payasos-Fieras Salvajes
Lunes 18 Hs. Terreno del ex sindicato
de la Construcción
Animación: Jorge Omar Morales
Pueblo y Fuerzas Armadas unidos en el común
Destino de Paz y Grandeza

Sobre la vidriera del teatro un empleado sacaba el último cartel que decía:

Unico gran recital de
Andrés Galván
La Voz de Oro de Buenos Aires
Lunes 22 Hs. Teatro Avenida
Pueblo y Fuerzas Armadas unidos en el común
Destino de Paz y Grandeza

Un muchacho de guardapolvo estaba improvisando un cartel en letras negras sobre fondo amarillo:

Gran recital de
Carlos Romero
La Voz Varonil de Colonia Vela
Lunes 22 Hs. Teatro Avenida
Pueblo y Fuerzas Armadas unidos en el común
Destino de Paz y Grandeza

Como la última frase no le entraba entera en el afiche, el dibujante había empezado a achicar las letras desde la palabra «común».

Romero tenía por fin su oportunidad, quizá la última de su vida, pero no la olvidaría nunca. Pensaba en eso cuando lo vi salir del teatro con otros dos tipos, más altos que él aunque no más jóvenes. Se los veía contentos.

—¡Amigo Galván! —me gritó, y se vino. Me dio la mano sacudiéndome el brazo. Después puso cara de preocupado.

—Me llamaron hace un rato —dijo—. Me dijeron que usted estaba indispuesto... ¿La garganta?

Moví la cabeza para confirmarle.

—Hay que cuidarse —me apoyó un dedo en el pecho—, en los cambios de estación sobre todo hay que estar atento. Pero no se preocupe, voy a dejar bien sentados los prestigios del tango y espero que usted esté en primera fila, Galván —ya me había sacado el «señor»— porque pienso dedicarle *Sur*.

—Gracias, pero me tengo que ir esta misma noche.

—Una pena —parecía realmente dolido—, una verdadera pena. ¿Dónde puedo mandarle el recital grabado? Porque estuvimos instalando un grabador, ¿sabe?

—El doctor Avila Gallo me lo hará llegar. Le agradezco mucho.

Le di la mano y crucé la plaza. Frente a la municipalidad estaban terminando de instalar el palco forrado de celeste y blanco. Junto al bar había un Torino negro con la puerta trasera abierta sobre la vereda. La entrada del boliche se abrió con violencia y un ropero que tenía en la mano izquierda una pistola salió arrastrando del pelo a un pibe de unos dieciséis años. En la vereda lo enderezó, le pegó con la culata de la pistola en la espalda y el cuerpo aterrizó adentro del auto. El ropero se calzó el arma a la cintura y entró detrás del pibe. El coche arrancó y se perdió en el fondo de la calle. Nadie salió del bar, ningún curioso se asomó por las ventanas. Pensé en comer algo, pero me di cuenta de que no tenía hambre. Entré a tomar un café al mostrador; habría diez mesas ocupadas y la gente me miró cuando empujé la puerta. Habían dejado de hablar, pero cuando me oyeron pedir un café reiniciaron un cuchicheo monótono. El patrón me llamó «señor Galván», pero no me sonrió.

Todavía se acordaba de que a la mañana le había sentado al croto en su bar. Le pregunté qué había pasado, pero se hizo el distraído; se dio vuelta, agarró la medida, tomó una botella de Old Smugler y me contestó:

—¿Medio?

Le dije que no, pero tampoco repetí la pregunta. Por las dudas no se me volvió a acercar.

Había terminado el café y puesto la plata sobre el mostrador cuando entró el doctor Avila Gallo, seguido de un petiso ancho y morrudo que llevaba una campera cerrada y amplia donde podría guardar todo el arsenal de Campo de Mayo sin que se le cayera una munición. El doctor se hizo el que no me vio; saludó a la gente de un par de mesas y se sentó junto a la vidriera. El otro fue hasta el fondo del bar y se acomodó de frente a la entrada y al doctor. Caminé hasta la mesa de Avila Gallo y el morrudo no me sacó la mirada de encima ni cuando pasó delante suyo una rubia de caderas anchas que me ganó de mano y se sentó a la mesa del doctor. Dudé un instante pero ya estaba en camino, así que me acerqué, me disculpé, y dije:

—Doctor, tengo que hablar con usted.

La rubia prendió un cigarrillo y se hizo la que miraba llover. Avila Gallo estaba como siempre de traje, chaleco, moño y su impecable peinada a la gomina. Sólo faltaba el bastón.

—No tengo tiempo ahora —dijo, señalando mi impertinencia—. Véame mañana al mediodía.

—Tengo que irme esta noche —anuncié.

Me miró un rato y sonrió.

—¿Esta noche? ¿No se va a quedar a ver la fiesta?

—Usted sabe que no —le dije.

—¿Yo? Yo no sé nada, amigo Galván. Solamente me avisaron que usted estaba indispuesto y que le buscara un reemplazante.

Ponía toda su hipocresía sobre la mesa y me di cuenta que no iba a pagarme así nomás.

—El capitán Suárez me dijo que lo viera a usted y me fuera hoy mismo.

Se rió un poco y sacó un cigarrillo del paquete de la rubia.

—Ya sabe cómo son los militares. Les gusta dar órdenes, pero del decir al hacer hay un trecho. Venga a verme mañana.

Empezaba a impacientarme.

—Ya dejé la pensión.

—Tómela otra vez. Siempre tienen cuartos.

Me senté sin pedir permiso.

—Escúcheme —traté de poner cara amenazadora—; yo tengo algunas cosas que hablar con usted, a solas o aquí, como más le guste.

Miró a la rubia que parecía decirle sacátelo de encima.

—Venga —dijo y se cambió de mesa.

Me senté frente a él.

—Usted no trabajó —me largó de entrada.

—Pero hay un acuerdo y no soy yo el que lo rompe.

—Tampoco yo —puso cara de contrariado—. La cosa viene de arriba.

—Del capitán Suárez —dije—. Estuve con él esta tarde.

—De arriba, de arriba —bajó la voz—. De los servicios...

Esperaba que me asustara.

—Ahá. ¿Y cómo lo sabe?

Sonrió, canchero, sobrador, como asomando el as de espadas.

—Yo sé hasta el color de calzoncillos que usted usa.

La sangre me subió a la cabeza.

—Le gusta meter las manos en las valijas ajenas, ¿no?

Se rió de mí. Después se tocó el moño y me miró; ahora me mostraba el as.

—Yo no hago el trabajo sucio, Galván.

Asentí. La rubia paseaba los ojos entre su reloj y nuestra mesa.

—Nosotros nos morimos de ganas de escucharlo —siguió—, pero llegó la orden y no hay nada que hacer.

—Está bien, yo también iba a cumplir el sueño de mi vida cantando en Colonia Vela. Paciencia, usted me debe...

Me interrumpió.

—No sea grosero, Galván, yo no le debo nada; es el ejército quien lo contrató, ¿no?

No era de los que se dejaban correr con la vaina. Encima, insultaba.

—Mire, doctor, a mí me contrató un tal Suárez que se puso en contacto con mi representante en Buenos Aires. Ahora Suárez me dice que cobre y me vaya hoy mismo. Y el que tiene que pagarme es usted. ¿Está claro?

—No es tan fácil, yo necesito una orden escrita del capitán.

—Pídasela —le señalé el teléfono. Me mostró los dientes desparejos y una muela de oro.

—¿Usted cree que se llama por teléfono al comando como si fuera el cine?

—Muy bien. ¿Cómo arreglamos, entonces?

—Mire, si usted quiere irse esta noche mismo, yo le mando mañana la plata por un cheque... no pensará que voy a quedarme con lo que no es mío, ¿no?

—Yo no pienso nada, doctor. ¿Y si no me voy?

Se echó para atrás, miró a la rubia de reojo y después bajó la vista a sus manos pequeñas.

—Usted me cae bien, ¿sabe? Usted no tiene pinta de malandra. Firmó algunas solicitadas, dijo algunas zonceras políticas por la radio y como es un poco ingenuo cantó en algún festival de la juventud. Bueno, esta gente está muy sensibilizada por el terrorismo y no se anda fijando en matices. O sí, y se fija más de lo que debería, qué sé yo. Tienen buenas intenciones, quieren sacar al país del pozo y si uno está dispuesto a andar derecho saben olvidar.

Bajó la voz y agarró la cuerda confidencial.

—Yo, por ejemplo —se tocó el pecho con el

pulgar—, yo defendí presos políticos en el año setenta y uno, en Azul. Muchachos que estaban metidos hasta las orejas, mi viejo, y sin embargo aquí me tiene.

—¿Y a cuántos sacó?

—Eso no tiene importancia. Yo me jugué en aquel momento por lo que creía que era justo. Tengo una carta de Perón que me felicita, sí señor. Ahora es otra cosa. Yo nunca fui peronista, pero el viejo era sabio. Si le hubieran hecho caso no habría pasado lo que pasó. Pero no, se creían más peronistas que Perón y ahí tiene... ¡La revolución! —sonrió, paternal—. Se creían que era soplar y hacer botella... Claro, entonces vino esta gente y puso orden.

No sé por qué me contaba todo eso. Faltaban cuarenta y cinco minutos para que saliera el tren y estábamos allí, perdiendo el tiempo.

—Y ni hablar de los otros —insistió—, los bolches de opereta que atacaban cuarteles con pibes recién destetados. De ésos no quedó ni uno...

—No me gustan los discursos políticos en los bares —dije.

Mostró otra vez el diente de oro. Le hizo una seña a la rubia que se revolvía en la silla como si tuviera hormigas y me dijo con voz seca:

—Haga lo que quiera. Si se va, le mando el cheque. Si se queda, le doy una entrada para la pelea.

66

—Gracias —le dije—, me voy esta noche, no-más. ¿Cómo está Rocha?

Se paró y le sonrió a la rubia.

—Bien. El doctor dice que con una inyección va a estar en forma. Ese muchacho es un toro.

—Me gustaría despedirme de él.

—No le aconsejo. Lo dejé durmiendo como un bendito. Martita lo vigila de cerca, está bien cuidado, no se preocupe. Le voy a dar sus saludos.

Se fue a instalar a la mesa de la rubia y me di cuenta de que hablaba de mí porque ella me miró como al último de los giles. Cuando vino el mozo le dije que ya me iba. Afuera había empezado a caer una lluvia finita que apenas humedecía la calle y me obligó a levantar las solapas del saco. Fui hasta la pensión a buscar la valija. Caminé pegado a las paredes para no mojarme demasiado y en todo el trayecto no encontré un alma. La vieja estaba comiendo un bife con ensalada cuando llegué. Me dio la valija y hasta me hizo una sonrisa cuando nos despedimos. Me quedaban veinticinco minutos para llegar a la estación y la lluvia era demasiado suave como para tenerle miedo. Seguí pegado a las paredes; mientras pasaba frente a las ventanas escuchaba el ruido de los televisores o el fragmento indescifrable de alguna conversación. Pero todas las persianas estaban cerradas. Cuando llegué a la esquina, antes de cruzar la explanada de la estación, escuché una voz que me llamaba pero no pude ubicar el lugar de donde venía. Me paré, prendí un cigarrillo y miré para el baldío de reojo. Por las dudas caminé unos pasos hasta salir del pedazo de vereda iluminado por el foco de la esquina. La voz del croto me avisó que estaba allí, entre los árboles y los arbustos. Apenas lo distinguía, con su impermeable cerrado y un sombrero que lo protegía de la lluvia. Tenía algo en la mano derecha.

—Venga a tomarse unos mates —me dijo casi en voz baja.

—No puedo, se me va el tren.

Dio un paso adelante, le pegó una chupada a la bombilla y miró hacia la luz del foco.

—Llueve finito pero parejo —comentó.

—Ahá.

—Que no lo vean venir —dijo—. Deje la valija ahí, dé vuelta la esquina y entre por la otra calle.

No entendí nada pero dejé la valija.

—¡Vamos! —me apuró—. ¡Camine que se van a avivar!

Evité la luz del farol, di vuelta en la esquina caminando despacio y me pegué a un árbol. El Falcon estaba allí, frente a la entrada de la estación. Me acordé del gordo que me pidió el autógrafo en la plaza y del Gary Cooper de tacos altos. Tuve miedo, mucho y de golpe; un temor infantil, lleno de sombras y de silencios. El croto apareció entre los yuyos.

—No se avivaron —dijo—. Ya le entré la valija. Venga.

Mientras separaba los arbustos mojados recordé vagamente cuando los pibes del barrio nos escondíamos entre los yuyales y hablábamos en voz baja y fumábamos hojas de gusto amargo sin tragar el humo y soñábamos con la mujer del bicicletero.

La casa que el croto se había hecho con pedazos de demolición no era muy diferente a las que construíamos nosotros en aquel tiempo. Era imposible verla desde afuera durante el verano, cuando las hojas brotaban y lo cubrían todo; tenía el mismo clima acogedor, salvo el olor agrio de la mugre, el tabaco y la fruta podrida. Sobre el piso de tierra había un colchón de color oscuro y una cobija que alguna vez había sido marrón. También dos cajones, uno que servía de mesa y otro donde el croto se sentó antes de echarle agua al mate. El mayor confort, casi absurdo allí, era la pequeña garrafa de gas. Arriba de una lata de aceite había dos velas encendidas, yerba, azúcar, un cuchillo y algunas cosas más que no me atreví a curiosear. Sacó un pan que había sobre el otro cajón y me hizo señas de que me sentara. Lo miré un largo rato; me alcanzó un mate espumoso y caliente y el primer trago me hizo sentir el cuerpo otra vez. La lluvia acariciaba las hojas y traía un olor que volvía casi agradable respirar allí adentro.

—Creo que esta mañana no le pregunté su nombre —dije.

—Ah, nadie me lo pregunta —se rió—, raramente me presentan en sociedad.

Sonreí y le devolví el mate.

—Luciano —dijo—; Luciano Melencof, o Maleancof, ya no me acuerdo cómo. Hace mil años que no lo uso. Me dicen Mingo.

—¿Cómo se enteró? —moví la cabeza para el lado de la estación.

—Porque vinieron a verme, a preguntarme de qué habíamos hablado esta mañana y después se pararon ahí enfrente.

—¿Por qué? —me dije a mí mismo.

Me alcanzó otro mate.

—Ahora andan con menos trabajo. Preguntan, eligen. Cuando el tren se vaya y vean que usted no llegó se van a poner nerviosos. Y el gordo es bravo.

—¿Usted los conoce bien?

—Aquí en el paredón del baldío bajaron a tres pibes, delante mío. Ya los traían arruinados, pero antes de meterles bala los hicieron pomada.

Yo quería esconder el miedo, pero casi me había descompuesto. Chupé el mate fuerte para contener las ganas de vomitar.

Le pasé el mate y lo dejó sobre la lata.

—¿Sabe lo que vamos a hacer? Cuando ellos se vayan cruzamos las vías y nos vamos para el campo. Si camina toda la noche, a la mañana puede llegar a Tandil. De ahí se toma un ómnibus para la capital.

Estuvimos un rato en silencio. Por fin oímos que el tren se iba. En menos de dos minutos el ruido se apagó por completo. Entonces escuchamos un coche que dobló en la esquina derrapando sobre el asfalto mojado. Iba a respirar cuando otro auto, de motor más suave, más cauteloso, vino a pararse delante del baldío.

CAPITULO VIII

El croto se llevó el índice a los labios, más como gesto instintivo que por miedo a que yo hiciera ruido. Una puerta del auto se abrió y alguien gritó:

—¡Che, Mingo!

Helado de frío y de miedo miré a Mingo que se ponía de pie. Pensé que si no salía pronto, el tipo vendría hasta el rancho; pensé, también, que el croto iba a entregarme. Se desabrochó el impermeable mugriento y se lo sacó. La voz, más cercana, volvió a llamar:

—¡Salí, che!

Mingo me hizo seña de que me corriera contra la pared y sopló las velas. Después se calzó una manga del impermeable, corrió las arpilleras que cubrían la entrada y salió. Acerqué los ojos a una ranura, entre las bolsas, y vi cómo, mientras se abría paso entre el yuyal, Mingo terminaba de ponerse el impermeable. Los faros del auto abrían dos largos huecos en la oscuridad y dejaban ver una lluvia suave y perezosa.

—Estaba durmiendo —dijo Mingo con un tono que se me ocurrió desafiante.

—¿Lo volviste a ver? —dijo el gordo, que se había metido un pulóver oscuro.

—¿A quién? —preguntó Mingo, enojado, y se detuvo antes de llegar a la vereda.

—¡Quién! —gritó el gordo—: ¡El porteño!

Mingo levantó los hombros.

—No —dijo.

—¿Anduviste por la plaza?

—¿Cómo?

—¡Despertate, che! ¡Te digo si anduviste por la plaza!

—¿Cuándo? —se le estaba yendo la mano. Me pareció que el gordo miraba hacia el rancho y me apreté contra la pared.

—Te estás haciendo el piola —dijo y empezó a entrar en el baldío.

—Estaba durmiendo, déjenme de joder —gruñó Mingo y empezó a volver. El gordo se quedó un rato en el mismo lugar, sin moverse siquiera y al fin gritó, divertido:

—Un día de éstos le prendemos fuego a los yuyos así te limpiamos la piojera.

Mingo entró al rancho y el gordo al auto que arrancó en dirección del centro. El croto se puso a tantear el suelo buscando los fósforos. Yo prendí las velas con el encendedor.

—¿Qué hora tiene? —me preguntó.

—Once menos cuarto.

—Bueno, hay que darle pata por el campo. Yo lo acompaño hasta el quilombo y ahí le digo cómo seguir. Si le mete parejo llega a Tandil a la mañana y se toma el ómnibus.

Se puso el sombrero y fue hasta la puerta de arpilleras.

—Si tiene en la valija algo que precise ahora, sáquelo. La vamos a dejar entre los yuyos y yo la entierro cuando vuelva.

La abrí y busqué el saco del traje negro y un libro que había leído hasta la mitad en el tren. No sé por qué desdoblé la última página leída antes de volver a meterlo en la valija. Mingo me miró, respetuoso.

—Mi padre leía mucho —dijo.

Después se fue hasta el fondo del baldío y vi apenas su silueta oscura acomodando la valija entre los matorrales. Me puse el saco encima del que ya tenía. Me apretaba, pero podría protegerme de la garúa. Mingo fue hasta la vereda, miró a los costados y cruzó la calle. Desde la esquina de enfrente me hizo señas de que lo siguiera. Dimos un rodeo para eludir la estación y cruzamos las vías corriendo hasta un vagón de carga, enganchado para siempre a una locomotora herrumbada. Nos agachamos contra las ruedas de la máquina y no sé por qué pasamos por debajo, arrastrándonos, cuando era más fácil dar la vuelta rodeándola. Delante nuestro se abría un horizonte oscuro en el que apenas distinguí uno de esos largos galpones que son idénticos en todas las estaciones. La lluvia me iba impregnando la ropa y cuando me toqué la cabeza me di cuenta de que ya no estaba peinado y el pelo me caía sobre las orejas. Pasamos entre los hilos de un alambrado y nos metimos en un campo de avena. Miré hacia atrás y vi que las luces del pueblo iban cubriéndose con la borrasca. Ya no tenía miedo. Al alejarme de las luces iba dejando atrás la sensación de ahogo y sentí que en la oscuridad y el silencio del campo podía reconocerme vivo. Habíamos caminado una hora cuando empecé a sentir un frío intenso en las piernas y un sabor amargo en la lengua. Fui hasta el tronco de un árbol y me apoyé con el hombro para prender un cigarrillo. Mingo caminaba unos metros más allá y la llama del encendedor lo detuvo. Vino hasta donde yo estaba y le pasé un cigarrillo. Del bolsillo del impermeable sacó una botella de ginebra y le dio un trago que me pareció interminable; después me la pasó y nos sentamos en el piso húmedo, las espaldas contra el tronco. Cambiamos la botella de mano tres o cuatro veces. Cerca, cantó un grillo. Mingo extendió un brazo y señaló un lugar entre los yuyos.

—Suerte, compañero —me dijo—, va a tener suerte.

Lo miré empinar el codo. Bajó la botella y me la pasó.

—El grillo —dijo—; si canta trae suerte.

—Siempre cantan. No sirven para otra cosa, ¿no?

—Cómo se ve que usted es de Buenos Aires —dijo, decepcionado.

El grillo volvió a cantar, ahora largo y tendido. Mingo se puso de rodillas, pegó una oreja al suelo y avanzó hacia los yuyos. Anduvo metiendo las manos entre unas ramas y el grillo dejó de cantar. Cuando volvió lo traía cuidadosamente encerrado en un puño. Prendí el encendedor para verlo. Mingo lo tenía delicadamente agarrado del cuerpo. El bicho agitaba sus largas patas traseras. Me lo tendió.

—Con cuidado, son débiles de las patas.

Lo tomé con un poco de aprensión; me hizo cosquillas en los dedos buscando un hueco por donde escapar. Cerré las dos manos en cuenco y le hice un buen lugar. Otra vez tuve la sensación de volver en el tiempo, de ser un chico. Sólo que ahora no tenía a quién contarle la aventura.

—Bueno —dijo—. Vamos.

Abrí los dedos y el grillo saltó sin que yo pudiera verlo. En las manos me quedó una breve sensación de vacío.

Lo seguí. En voz baja le fui contando lo que nos había pasado a Rocha y a mí durante el día. En realidad hablaba para mí mismo pues Mingo caminaba adelante, apartando las matas de yuyos, señalando los pozos con su andar vacilante y no intervino hasta que terminé el relato.

—¿Y por qué le negó el autógrafo?

Seguí un rato en silencio y después dije:

—¿Usted se lo hubiera firmado?

Se paró, se dio vuelta y estuvo mirando algún punto lejano en la oscuridad. Después bajó la cabeza y rascó la tierra con un pie. Pensaba o demoraba la respuesta. Al cabo de un rato dijo:

—No sé. Cada uno en su lugar. ¿Tengo pinta de andar firmando autógrafos, yo?

Con la lluvia se había levantado un viento fresco. A lo lejos vi la silueta de un galpón recortada entre las sombras: pensé que allí podríamos descansar un rato y encender fuego para secarnos las ropas. Atravesamos otro alambrado y dimos un rodeo para evitar un maizal. Desembocamos en un campo abierto y fuimos hacia el galpón. Junto a la entrada vi el esqueleto negro, torcido, a medio tumbar de un avioncito. El yuyal le había cubierto las ruedas y se metía en lo que había sido la cabina del piloto. La puerta abierta colgaba de una sola bisagra y tenía por lo menos veinte agujeros redondos y gruesos como dedos. Unos pocos metros más allá, cerca de unos sauces, había dos cruces de madera clavadas en la tierra.

Miré aquello con una vaga curiosidad, como cuando se entra a un cementerio. Me agaché frente a las cruces; aún protegiéndolo con las manos el encendedor se apagó varias veces antes de que pudiera leer los nombres grabados con una letra despareja que se hundía en la madera. Volví hacia el avión y me refugié bajo la osamenta oxidada de una de las alas. Mingo apartó los yuyos, se acercó a la cabina y miró al interior como si buscara alguna cosa perdida hacía mucho tiempo. Estuvo quieto un rato, con medio cuerpo dentro del avión y cuando enderezó la cabeza el sombrero rozó el techo y cayó al pasto. Lo sacudió antes de volver a ponérselo y vino a agacharse a mi lado. Me hizo seña de que le diera un cigarrillo y señaló las cruces.

—Los milicos se cansaron de arrancarlas pero siempre alguno las volvía a poner. Al final las dejaron.

Recordé la historia que me había contado Romero. Mingo sacó la botella, se la llevó a los labios y fue inclinando la cabeza hasta convencerse de que estaba vacía. La tiró hacia atrás, contra la pared del galpón.

—Que lo parió —dijo.

Estuvimos un rato fumando en silencio. Pensé en lo absurdo de aquella huida y me imaginé atravesando el campo solo, caminando horas bajo la lluvia hasta llegar al pueblo vecino, empapado, hecho un andrajoso, agotado, todo eso para subir a un ómnibus que me llevara a Buenos Aires. Una vez allí, lejos del gordo, de Gary Cooper, ¿la historia habría terminado? ¿Hasta dónde me seguiría aquel legajo que el capitán Suárez me había mostrado? De pronto me acordé de Rocha. Su nariz aplastada y su cuerpo de orangután me estuvieron rondando en la cabeza un rato. Sin darme cuenta busqué en el bolsillo del saco el billete que me había dejado. Era demasiado grande y no debía quedarle otra plata encima. Estuve jugando un rato con él, doblándolo como una carta hasta que Mingo me sobresaltó con su voz.

—Tenemos que ir yendo.

Le dio la última pitada al pucho, lo apagó contra la tierra y se puso de pie.

—Anda en la buena —dijo y señaló el billete.

Me hizo reír. El también se rió un momento, brevemente, un poco por compromiso. Después, sin que hubiese ninguna malicia en su voz, agregó:

—Pagan bien los milicos.

Me quedé callado. Sentí un ligero malestar en el estómago, como si hubiera fumado mucho.

—Es de Rocha. Me lo dejó para la pensión.

Fue hasta la cabina del avión y volvió a mirar adentro.

—Ese pibe va al amasijo —me gritó al descuido y tuve la sensación de que su voz se demoraba unos instantes entre los hierros del aparato. Después estuvo arrancando las ramas que envolvían la hélice.

—Yo se lo dije —murmuré.

Me dejé estar, sentado en el suelo contra el

fuselaje, oyendo la garúa y la respiración pesada de Mingo. No tenía ganas de seguir. No me sentía capaz. Al otro lado del campo no había nada. Guardé el billete.

—¿Tan bueno es el Sepúlveda ese?

Mingo se había sentado en la cabina, con las piernas afuera. La puerta abierta no me dejaba verle más que el sombrero.

—Muy rápido —dijo—. Y no van a dejarlo perder el día que dan la fiesta, ¿no? Lo tienen encerrado hace tiempo en el comando, todos los días dándole a la bolsa y a la soga.

—¿En el comando?

—Y si no dónde. Hasta le trajeron un sparring de Mendoza. Al sparring lo mandan a varearse por el pueblo para que muestre cómo tiene la jeta de tanta piña que le mete el milico.

—¿Es colimba el pibe?

Se paró y me miró por encima de la puerta.

—¿Me está cargando?

—¿Por qué?

—¿No sabe que es teniente primero?

—¿Sepúlveda?

Volvío a sentarse y dijo como para sí mismo:

—Lo creía más vivo, compañero.

Me quedé unos instantes callado, queriendo pensar, intentando establecer una relación entre el hecho de que Sepúlveda fuera oficial del ejército y el interés que el doctor y su hija mostraban por el grandote.

—Rocha no sabe nada.

—Para él qué más da —dijo Mingo—, él sabe que va al muere. Se gana unos mangos y listo... si es vivo se tira cuando sea el momento.

—No, no sabe. El cree que gana fácil...

Mingo se estuvo riendo de Rocha, se levantó y vino a pedirme otro cigarrillo.

—Si tuviéramos un poco de ginebra... ¿Qué le parece si vamos yendo?

—Hay que avisarle.

—¿Avisarle? Ya se va a enterar mañana.

—¿Usted cree que le arruinaron la mano a propósito?

Abrió los brazos.

—No sé. No creo, ¿para qué iban a arriesgar una suspensión de la pelea?

—Si Rocha tuviera la mano sana...

Se rió otra vez, pero ahora sin ganas.

—No sea tonto, Galván, nadie puede ganarle a ese muchacho aquí. Sería como tocarles el culo a todos los milicos juntos. No joda.

Las piernas se me estaban entumeciendo. Me levanté y caminé hasta los árboles.

—Volvamos —dije.

—¿Quiere meterse en el pueblo otra vez?

—Voy a hablar con Rocha. Además tengo esta plata que devolverle.

—Es todo al pedo —dijo—. Por el momento a usted quieren darle una paliza, pero si se mete a revolver la mierda le van a hacer la boleta. Acá no se andan con chiquitas.

Me estuvo mirando un rato y creo que estaba contento de que me quedara. Golpeó el fuselaje del avión con una mano y su voz sonó más viva.

—Vamos. Volvamos por el camino del quilombo y compremos una botella. Estaba teniendo frío; ¿y usted?

CAPITULO IX

Cuando vimos a los cuatro soldados que montaban guardia en el frente nos agachamos detrás de unos matorrales. Estaban al reparo contra las paredes, enfundados en capas de plástico. Desde adentro, traída por el viento, nos llegaba la voz de Leonardo Favio.

—Si hay soldados es que los milicos están de joda —dijo Mingo—. Son los suboficiales. Cuando vienen los otros cierran todo y traen la tropa completa para cuidar.

—¿Quién maneja esto? —pregunté.

—El doctor.

—¿Avila Gallo?

Los ojos de Mingo me hicieron sentir otra vez como un caído del catre.

—¿Estará allí ahora? —pregunté.

—Debe estar. Donde están los milicos está él.

—Tengo que asegurarme.

Me miró. Esperaba que le dijera de qué tenía que asegurarme.

—Tengo que saber si él está ahí. Así puedo ir a buscar a Rocha aprovechando que se quedó solo.

—Por ahí lo trajo con él.

Lo pensé un rato.

—No creo. Eso ya sería demasiado.

—¿Le parece? —dijo. Se burlaba de mí.

Empecé a inquietarme. Si Rocha estaba en el quilombo tenía que buscar el medio de hacerlo salir sin alertar al doctor.

—¿Los soldados lo conocen?

—¿A quién?

—A usted.

—Tan famoso no soy pero creo que la mayoría me tiene visto.

—¿Se anima a charlármelos?

—¿Qué les digo? ¿Que ando tomando fresco?

—Dígales cualquier cosa. Mientras, yo voy a echar una mirada.

Mingo miró la casa iluminada, los autos, un jeep que estaba estacionado junto a una alameda y los soldados que se paseaban pegados a la pared con las ametralladoras colgándoles de los hombros.

—Voy a tener que retroceder hasta los árboles y venir caminando por la calle. Si no me llegan a reconocer me van a cagar a tiros.

—¿Se anima o no se anima?

—¿Qué importa? Tengo que ir, ¿no?

Se fue bordeando el alambrado hasta que desapareció de mi vista. Unos minutos después escuché un silbido que venía de lejos, desde el camino. Fui hasta el alambrado, me quité el saco mojado y pasé entre los hilos. Me quedé quieto, agachado en la cuneta. La llovizna hacía bastante ruido como para apagar el crujido de las pisadas sobre los yuyos. Me deslicé hasta esconderme detrás de un auto. Un soldado gritó:

—¡Alto!

Saltó a la vereda y acomodó la ametralladora. Otro colimba vino a parapetarse contra el mismo auto que me ocultaba a mí. Contuve la respiración; el muchacho tocó algo en la ametralladora que hizo un ruido seco y la apoyó sobre el baúl del coche. Parecía muy concentrado para darse cuenta de que yo estaba a poco más de un metro de él. De pronto, una luz potente iluminó el camino y tuve que agacharme contra una rueda para que mi vecino no me viera. Alguien había encendido los faros del jeep. Entre los charcos, caminando despacio, Mingo agitaba su sombrero como saludando a la multitud.

—¡No tiren, carajo! —gritó. Después empezó a reírse. El soldado que estaba cerca mío se aflojó y buscó un cigarrillo en el bolsillo de la capa. Al encenderlo su cara se iluminó, pero era imposible verle rasgo alguno; tiró el fósforo a mis pies y salió al encuentro de Mingo.

Crucé el camino por detrás del jeep. Los cuatro soldados rodeaban a Mingo. Escuché que uno de ellos le preguntaba «¿qué mierda hacés vos por acá?» y me fui por el patio iluminado que rodeaba al caserón. Caminé como si fuera un cliente más y me acerqué a una de las dos ventanas abiertas. Ahora sonaba D'Arienzo y se bailaba. No habría más de quince mujeres para cuarenta o cincuenta borrachos. Los que no tenían pareja bromeaban con los cortes y quebradas que intentaban los otros. Recorrí el salón con los ojos, mirando de vez en cuando hacia atrás porque tenía la sensación de que alguien podría reconocerme. En una mesa, Avila Gallo gesticulaba ante cuatro tipos que hacían esfuerzos para no dormirse. Miré detenidamente a los que bailaban y Rocha no estaba entre ellos. Reconocí a la rubia que se había encontrado con el doctor en el bar y al sargento que había ido a buscarme a la pensión. Contra el mostrador dos curdas sujetaban a un gordo que quería pelear con alguien y gritaba como un marrano. No quedaba lugar ni para escupir y por la puerta de atrás entraban y salían algunos aburridos que dudaban entre tomar aire bajo la lluvia o aguantar la pestilencia del tabaco y el sudor. Lo más naturalmente que pude fui hasta el patio trasero. Había cuatro piezas cerradas pero a través de las cortinas de paño se distinguían las luces del interior. En una galería que abarcaba todo el ancho de la casa había tendida una mesa para unas cincuenta personas, cubierta de botellas vacías y platos sucios. Media docena de tipos estaban sentados, riendo con los últimos cuentos de la noche. En el centro del patio había una gran parrilla protegida por chapas de la que todavía salía humo. La puerta de una de las piezas se abrió y salió un morocho que se puso el saco y en un arranque de gentileza le dio la mano a la mujer desnuda que lo acompañaba. Los seis de la mesa aplaudieron. Uno de ellos gritó «¡te sacaste el afrecho, Negro!»; otro dio un salto, tropezó, hizo una ese perfecta y enfiló para la pieza sin mucha convicción. La mujer, cubierta de sudor, miró un poco la llovizna, se fijó en mí y cerró la puerta. El que había salido se sentó a la mesa y dejó que lo palmearan. Estaba menos borracho que los otros.

Atravesé el patio lo más lejos que pude de las luces y fui hacia la salida. A un costado del jeep, Mingo les contaba algo a tres soldados. El otro se había metido en la cabina y fumaba. Habían apagado los faros. Parecían bastante distraídos así que fui hasta la vereda para alejarme lo más discretamente posible. Pasé sin mirar frente a la primera ventana; la gran puerta estaba entreabierta y por allí salía clarita la voz de Miguel Montero que cantaba *Antiguo reloj de cobre*. Una botella rompió la última ventana y los vidrios se desparramaron a mis pies. El ruido me sobresaltó. Miré hacia el interior, nervioso. Tres borrachos empujaban al mismo gritón que antes había estado contra el mostrador. Alguien me agarró del hombro.

—Empezó la joda —dijo.

Me di vuelta despacio. El hombre me sacó

la mano de encima y terminó de abrocharse la bragueta. Se había meado toda la pierna izquierda del pantalón.

—Empezó nomás la joda —repitió como para sí mismo.

Quise seguir caminando pero apenas di dos pasos me llamó.

—¡Che...!

Se me acercó, vacilante. Tenía una cara redonda y fofa, mal afeitada.

—Dame un cigarrillo —dijo.

Le di. Buscó los fósforos por todos los bolsillos mientras me miraba con curiosidad. Me di cuenta de que estaba empezando a verme cara conocida.

—¿Pasaste con la gorda? —movió la cabeza en dirección al patio trasero.

En lugar de contestarle le di fuego.

—¿No pasaste? —se alegró de poder contarme—: No sabés lo que te perdés. Te pone las gambas acá —cruzó los brazos sobre el pecho y se tocó los hombros—, y se empieza a mover, a mover, a mover —cerró los ojos y se zarandeó un poco. Estuvo soñando un rato hasta que yo me moví para rajar. Entonces se despertó y volvió a mirarme, ahora sin ningún disimulo.

—Vos sos...

—Tengo que irme —dije, imprudente.

Se sorprendió.

—¿Adónde vas? ¿No dijeron que nos vamos todos juntos?

88

—Voy a mear y vuelvo.

Encaré para la oscuridad pero fue inútil. Se me vino atrás.

—Dale ahí —dijo—, y guarda con el viento.

Me había puesto nervioso y tardé mucho en arrancar. Por fin un chorrito débil cayó sobre el pasto.

—Yo te conozco —porfió—, te vi..., ¿en dónde te vi?

—¿En Azul? —tenté.

Parado entre los yuyos, en medio de la oscuridad, parecía el tronco de un árbol que luchaba contra el viento. Se había quedado callado y me miraba orinar. Una ráfaga de aire que apenas me revolvió los cabellos lo llevó un par de pasos atrás pero el tipo no se inmutó. Le dio una chupada al cigarrillo y dijo, intrigado:

—No, qué Azul. A Azul hace mil años que no voy.

Me abroché la bragueta y me acerqué a la pared lateral de la casa. Allí nadie podía verme y estaba a cubierto de la llovizna. Tenía que sacármelo de encima.

—¿Cómo te llamabas vos? —le pregunté.

—Sargento primero Jonte. ¿No te acordás de mí?

Me tiré un lance.

—¿De Tandil?

—¡De Tandil! —gritó—, del Comando, con el mayor Farina...

—Mayor Farina —ya teníamos algo en común—, ¿te acordás?

—¿De qué?

—Bueno, de Farina... ¡qué tipo!

—¿Vos eras?

—Vega. Veguita, me dicen.

Se rascó la cabeza.

—Veguita... no...

—Bueno, me dicen Negro también.

—Negro... ah, sí, vos sos el Negro, claro; sargento, ¿no?

—Sargento.

Arrancó para la vereda y pegó un grito.

—¡Soldado!

Empecé a sudar. Tenía ganas de desaparecer y dejarlo hablando solo pero necesitaba un pretexto.

—¡Soldado! —gritó otra vez.

Uno de los muchachos que estaban de guardia se acercó por la calle y se paró abriendo las piernas con una mano en la ametralladora. Con la otra encendió una linterna.

—¿Quién vive? —dijo el colimba con voz fatigada.

—Sargento primero Jonte, che. Andá a traerme una cerveza.

El soldado se acercó y nos iluminó las caras.

—Buenas noches mi sargento primero —dijo.

—Buenas noches —gruñó Jonte—. Andá a buscarte dos cervecitas, pibe.

—No puedo abandonar la guardia, mi sargento primero.

—Dejate de joder, andá.

—Discúlpeme mi sargento primero.

—¡Qué disculpe ni qué carajo! ¡Vas o mañana te hago pegar un baile!

—Diríjase al jefe de guardia, mi sargento primero. Con su permiso voy a retomar la guardia, mi sargento primero.

El soldado pegó media vuelta y se fue. Jonte lo puteó un par de veces en diferentes tonos y se metió las manos en los bolsillos.

—Está Germani de guardia y los tiene cagando, pobres pibes —dijo con intención de disculpar la poca pelota que le daban los colimbas. Aproveché para decirle:

—¿Por qué no vas vos y las traés?

Me miró un poco ofendido.

—Andá vos, qué mierda —dijo y me tocó el antebrazo como palpándome las jinetas.

—¿Vos eras sargento, no?

Me le acerqué al oído, confidencial:

—Sí —bajé la voz—, sargento, pero me estoy cagando.

Me miró e hizo un ruido apagado, conteniendo la risa.

—Mientras voy vos te conseguís dos cervezas.

—Dale —aprobó. Mientras se iba me gritó—: ¿No querés que te traiga papel también?

—Con los yuyos me arreglo —contesté y enfilé para el campo.

Lo seguí con la mirada hasta que entró por la puerta principal; entonces observé la posición de los guardias y crucé la calle. Pasé entre el alambrado, recuperé el otro saco y me agaché a mirar si ubicaba a Mingo.

—¿Dónde se había metido? —dijo a mi espalda.

Me di vuelta.

—Linda manera de charlarse a los soldados.

—Llegó el jefe y me sacó cagando. ¿Rocha está ahí?

—No. Debe estar en lo de Avila Gallo.

—¿Entonces vamos al pueblo, nomás? —preguntó.

—Si me acompaña... Hay que apurarse antes de que el doctor vuelva.

Me miró como a un loco furioso.

—¿Se va a meter en la casa? ¿No puede esperar hasta que sea de día?

—¿Le parece que Avila Gallo me va a dejar hablar con él? Tengo que aprovechar ahora que no está.

—Déjese de joder. Esa casa está más vigilada que la comisaría.

—Hagamos la prueba.

Cerca cantó un grillo. Mingó sonrió y me palmeó un brazo.

—Y bueno. Ya que anda de suerte.

CAPITULO X

Nos arrastramos otra vez por debajo del mismo vagón. Los pájaros que habían buscado refugio de la lluvia revolotearon y se golpearon contra las ruedas y los ejes antes de volar hacia cualquier parte. Dejamos la estación a un costado y enfrentamos la solitaria calle que llevaba al centro. Estábamos parados a cincuenta metros del rancho de Mingo y mirábamos el cielo donde se insinuaba la primera luz del domingo.

—¿Cada uno por su lado? —pregunté.

—Qué más da.

Miré mi reloj. Eran las cinco y cuarto. Me quité el saco negro que me había echado encima para protegerme del agua y lo tiré. Cruzamos la calle. Al pasar frente al baldío miró su rancho.

—Qué bien nos vendrían unos mates —dijo.

Seguimos andando. Después de haber caminado entre el pasto, hundiendo los pies en el barro, en los charcos y en las cuevas de comadrejas, apurar el paso por la vereda me relajaba

y me hacía entrar en calor. Al llegar a la calle
donde vivía el doctor, Mingo me detuvo ponién-
dome una mano sobre el pecho. Luego se asomó
por la esquina.

—Ya me parecía, carajo —dijo.

Me incliné sobre su hombro. Frente a la casa
de Avila Gallo había parado un Torino negro con
una puerta abierta. Nos recostamos un rato sobre
la pared, esperando. Por fin, Mingo habló en un
susurro.

—Igual hay que entrar, ¿no?

—¿Usted conoce?

—Creo que el patio de la casa da a un terreno
baldío, a una demolición que hicieron el año pasado.

Volvió a asomarse a la esquina.

—Si cruzamos juntos vamos a llamar la atención. Usted vaya por la otra vereda y cruce. Yo
voy a dar la vuelta manzana para pasar una cuadra más arriba. Métase en el baldío y me espera
en el fondo, sobre la medianera del doctor.

Le sonreí. Saqué el paquete y le pasé un cigarrillo. Estaba por irse cuando le pregunté:

—¿Por qué lo hace?

Sacó largamente el humo de los pulmones e
hizo un gesto de indiferencia.

—El chico ese está en un apuro, ¿no?

Empezó a desandar la calle. Dejé que diera
vuelta en la esquina y empecé a cruzar. Traté de
andar lentamente mirando de reojo hacia la casa

del doctor. Todo seguía igual: el auto y el silencio pesado. Cuando pasé la bocacalle escuché la puerta del Torino que se cerraba con violencia. Sentí un súbito impulso de salir corriendo, pero me contuve. Registraba cada sonido por más débil que fuera: escuché los tenues cantos de los pájaros y mis propias pisadas. Fui contándolas una a una hasta llegar al baldío. El terreno estaba lleno de maleza, piedras y ladrillos rotos. Caminé con cuidado abriéndome paso entre los yuyos mojados, tropezando con los cascotes, hasta que encontré la pared del fondo. No tenía la menor idea de si esa medianera daba al patio de la casa del doctor. Me senté sobre unos ladrillos húmedos y me di cuenta de que tiritaba. El pecho me dolía un poco. Había dejado de llover y levanté la cabeza para ver el amanecer entre las nubes grises. Pensé cómo haría para llamar la atención de Rocha sin que Marta se despertara y avisara a los tipos del auto. Pensé, también, que el grandote no se iba a dejar convencer así nomás.

Mingo se había sacado el piloto y el sombrero, pero ni bien llegó a mi lado se los volvió a poner, como si se aferrara a esa imagen que tenía de sí mismo.

—¿Sin novedad? —preguntó, pero no esperaba respuesta. Llevó tres ladrillos contra la pared, se subió sobre ellos y miró al otro lado.

—Creo que es aquí —dijo. Yo acerqué una piedra y me asomé también. Por lo que podía ver a la difusa luz de la madrugada, el patio estaba bien cuidado y un cantero de rosas rodeaba a un duraznero que empezaba a ponerse en flor. Me pregunté si no habría un perro que pudiera caernos de sorpresa, pero Mingo ya estaba subiendo a la pared. Esa gimnasia no era para él; los ojos parecían a punto de reventársele y su mano derecha, que aferraba el borde del muro, estaba tan crispada que los huesos parecían haber perforado la piel. Apoyó un codo sobre la pared, hizo un esfuerzo que acompañó con un gruñido y revoleó la pierna derecha. El zapato rascó el borde, desprendió un pedazo de cal y resbaló por el tabique. El cuerpo vaciló un momento, no halló en el brazo la fuerza suficiente para aguantarse e hizo un giro grotesco. Golpeó la espalda contra el filo del último ladrillo y rodó hasta el suelo. Yo estiré la mano para sujetarlo, pero llegué tarde. La cabeza chocó contra la piedra que yo había acercado a la pared y el cuerpo quedó estirado, con los brazos y las piernas abiertos.

Me agaché a su lado. No se movía, pero respiraba como un asmático y sus ojos se habían velado. Lo sacudí suavemente. Me miró e hizo una mueca avisándome que podía arreglarse sin mi ayuda. Le pasé una mano por el pelo blanco y mis dedos volvieron pastosos y tibios. Su pecho subía y bajaba aceleradamente, como si algo galopara adentro. Movió primero un brazo y después encogió una pierna. Apoyó un codo en la tierra, giró, arañó la pared y se puso de rodillas.

Estuvo así un minuto, hasta que su respiración se hizo más suave. Quise ayudarlo a pararse pero otra vez me rechazó. Apoyándose en la medianera se puso de pie y buscó el sombrero que había rodado hasta un pedazo de viga de la que sobresalían las puntas de los hierros oxidados.

—Vamos —dijo.

—Tiene lastimada la cabeza.

Se tocó con un gesto indiferente, casi orgulloso, y fue hacia la pared.

—Hay que hablar con el chico, ¿no? ¿Por qué se queda ahí parado?

—Fumemos un cigarrillo antes —le dije.

Seguía agitado y tuve miedo de verlo caerse otra vez. Fumamos despacio, mirando cómo el cielo se volvía rojo y espeso. Tiró el cigarrillo por la mitad y lo pisó. Sin decir nada subió sobre los ladrillos y repitió el movimiento anterior. Lo seguí de cerca hasta que se sentó sobre la pared. Saltamos al patio sin hacer ruido y fuimos hasta la casa. A la izquierda, un corredor llevaba a la calle. Me acerqué a la puerta de rejas en puntas de pie y vi el auto.

Las brasas de dos cigarrillos bailaban a través de los vidrios empañados. Volví apretándome a la pared, mirando dónde apoyaba los pies, temeroso de que el menor ruido alertara a los tipos. Las dos ventanas que daban al corredor tenían las celosías cerradas. Pensé que una de ellas correspondería a la pieza donde dormía Rocha. Regresé al patio. Mingo, con una mano sobre el picaporte de la puerta, me observaba con aire perplejo y me hacía señas de que me acercara.

—El mejor lugar para entrar a una casa es la puerta —murmuró y empujó suavemente el picaporte. La puerta se abrió sin ruido.

Mingo me hizo un gesto con la mano como diciendo «¿qué hacemos?». Le hablé al oído.

—Sáquese los zapatos.

—Si la chica se despierta va a armar alboroto —dijo en voz baja.

En la casa vecina cantó un gallo y más lejos le contestó otro. Agarré los zapatos con una mano y con la otra prendí el encendedor. A la izquierda encontré la cocina, con la puerta abierta; a la derecha, un cuarto con una mesa de planchar, un lavarropas y un armario que ocupaba toda la pared del fondo. Seguimos adelante por el pasillo y cada vez que el encendedor me quemaba los dedos lo soplaba y nos deteníamos a esperar; a oscuras escuchábamos el ritmo de nuestra respiración y sentíamos el olor a humedad de nuestras ropas.

El pasillo terminaba en el hall de entrada que comunicaba con el estudio del doctor. En el centro había dos puertas enfrentadas y las dos estaban cerradas. Dudé un instante y después, en un impulso, me decidí por la de la derecha. Iluminé el picaporte y lo hice girar lentamente. Abrí despacio y metí el encendedor en el interior. La llama tardó un rato en enderezarse para iluminar vagamente la habitación. La cama estaba deshecha y vacía. El bolso de Rocha había quedado abierto sobre una silla. Se lo dije a Mingo.

—Entonces debía estar en el quilombo, nomás —susurró.

Recién ahí se me ocurrió que el grandote debía haber sido uno de los que estaban en las piezas con las mujeres. Me traté de boludo y de cagón por no haberme quedado el tiempo suficiente para sorprenderlo. Hice señas a Mingo para que saliéramos. Furioso como estaba no vi la mesita del teléfono y me la llevé por delante. Hizo un crac agudo, se tambaleó y cuando quise pararla me quemé un dedo con el encendedor y no hice más que empujarla. Lo que más ruido hizo fue el teléfono de plástico, que tardó un siglo en terminar de rodar y desarmarse. Nos habíamos quedado a oscuras y conteníamos la respiración. Hubo un ruido brusco, apurado, en la pieza de la izquierda y luego algo pareció tumbarse. Esperamos un instante pero no pasó nada. Quizá Marta estuviera abriendo la ventana del corredor para llamar a los tipos del auto. Me abalancé sobre la puerta y abrí. La habitación estaba a oscuras y alguien tropezó con un mueble. Busqué la luz e iluminé. Marta estaba completamente desnuda, parada a dos pasos de su cama revuelta. Había chocado contra una silla en su intento de alcanzar el camisón a tientas. El largo pelo negro le caía sobre los pechos pequeños, firmes. Tenía un cuerpo fino y muy blanco con unas caderas de suave redondez. Había abierto la boca y no se decidía a gritar. Me llevé un dedo a los labios para implorarle silencio. A mi lado, Mingo parecía extasiado. Los dos estábamos parados en el umbral, los zapatos en las manos, sin saber qué decir.

—Perdone —articuló Mingo sin dejar de mirarla.

Marta tomó el camisón, lo apretó contra su cuerpo para cubrirse y lentamente, con un miedo que daba pena, inició la retirada hacia la cama.

—¿Qué... qué hacen aquí...? —murmuró.

Ninguna excusa tenía sentido y me salió la verdad.

—Buscábamos a Rocha...

Se quedó mirándonos, a punto de llorar. Asomando su cabecita de la sábana celeste parecía tener doce años.

—Váyanse —susurró. No parecía dispuesta a pedir auxilio. Miraba a Mingo atemorizada y confundida. El croto tenía una oreja y la solapa sucios de sangre. No era una cara para encontrar al despertarse.

—Váyanse, por favor —repitió Marta como un ruego.

Al retroceder empujé a Mingo. Tomé la puerta por el picaporte y un zapato se me cayó de la mano. Cubierto de vergüenza me agaché a buscarlo y entonces vi la camiseta del Cicles Club en el suelo. Busqué los ojos de Marta. Parecía más culpable que un gato sorprendido con la última pluma del canario entre los dientes.

—¿Dónde está? —le pregunté.

Tragó saliva.

—¿Quién?

—No se haga la tonta. ¿Dónde está Rocha?

Se mordió con fuerza el labio inferior, abrazó la almohada y se puso a llorar. A mi espalda, Mingo susurró una palabra de compasión.

—¡Salgan! —gritó ella—. ¡Váyanse de aquí!

Fui hasta la cama, le apreté el hombro flaco y la zamarreé.

—¡No grite! ¿Quiere despertar a todo el pueblo?

Sentí una enorme pinza que se cerraba alrededor de mi tobillo derecho.

—¡No me la toque!

Me había olvidado de él. Asomó su cabezota por debajo de la cama y me martilló con unos ojos sucios de furia. Se tomó del borde y quiso salir, pero con ella arriba estaba preso bajo el elástico. Dio un tirón y la cama se desplazó medio metro. Yo aproveché para liberar mi tobillo y dar un salto atrás. Marta lanzó un «Ahhh» prolongado y hundió la cabeza en la almohada para teatralizar el sollozo. El lamento enervó a Rocha que apoyó las manos en el suelo, hinchó la espalda para levantar la cama y empezó a salir como un corcho de la botella.

—¡Hijo de puta! —gritó.

Tenía la cara pegada al piso y había conseguido zafar la espalda peluda en la que quedaron dos largos rasguñones.

—No sea tonto —le dije en un último intento por pararlo—. ¿No se da cuenta que lo hicieron entrar como un gil?

Marta dio un gritito y el grandote rugió. Empezó a destrabar las nalgas y ya estaba casi libre. Agarré la silla con las dos manos y la levanté sobre su nuca.

—¡Si se mueve le parto la cabeza! —advertí. Marta me miró y dio un respingo. De sus ojitos marrones bajaban dos surcos de lágrimas y los restos del último maquillaje. Mingo debe haberse conmovido porque se acercó y le apoyó una mano en la cabeza. Su aspecto no era muy tranquilizador y Marta le pegó con la almohada. El croto soltó los zapatos de la mano, retrocedió y se quedó quieto en un rincón. Rocha me echó un vistazo de reojo para comprobar si yo sería capaz de cumplir mi amenaza. Puse la cara más fiera que pude, le apoyé un pie sobre el hombro izquierdo y lo empujé contra el piso.

—Retire lo dicho —dijo, pero su tono tenía menos convicción.

—Lo voy a retirar cuando usted se avive de lo que pasa.

—Le voy a romper la cara —gruñó—, lo voy a reventar.

Torcía el cuello para poder girar la cabeza y mostrarme su cara morada de odio y de esfuerzo. Yo seguía esgrimiendo la silla.

—Escúcheme... el doctor es un malandra... la pelea está arreglada para Sepúlveda y...

—¡Mentira! —Marta dio un salto, salió de la cama con sábana y todo y me cruzó la cara de dos bofetadas. Después empezó a darme golpes en el pecho con un estilo aprendido de la televisión. Como yo seguía sosteniendo la silla en alto no podía defenderme y Mingo no parecía dispuesto a intervenir. Rocha aprovechó para salir de abajo de la cama. Estaba desnudo como un oso y no tenía menos pelo. Levantó la mano hinchada, me quitó la silla de un tirón y la estrelló contra la pared, sobre la cabeza de Mingo. El croto se agachó y los pedazos de madera le cayeron encima. El grandote me agarró del cuello, recogió la derecha y cuando iba a sacarla Marta se le echó entre los brazos.

—¡Qué vergüenza! ¡Qué vergüenza! —lloriqueaba. Rocha se quedó paralizado y por un instante aflojó los músculos del antebrazo. En sus ojos extraviados había lugar para la ternura. Hizo una sonrisa que nunca le había visto, pasó la derecha alrededor de la cintura de Marta y la levantó como si fuera un bebé; con el otro brazo le rodeó suavemente las piernas y atravesó la pieza como si caminara sobre las nubes. Pensé que lo más prudente sería salir corriendo, pero entonces todo habría sido inútil.

Mingo no era de la misma opinión porque gateó ágilmente en dirección a la salida, aunque no llegó: Rocha lo empujó con el pie y lo hizo rodar hasta el ropero. Luego depositó a Marta sobre la cama, con la dulzura de una gacela y la besó en la frente. Ahora me tocaba a mí. Mientras se me venía estaba eligiendo el lugar donde pegarme.

—Déjeme hablar —supliqué, pero siguió avanzando. Probé otra:

—Un boxeador no puede pegar fuera del ring.

No sé si se tomaba el trabajo de escucharme. Me tiró una izquierda al hígado, pero como alcancé a moverme me la dio en la espalda. Caí a los pies de Marta y sentí que se me cortaba la respiración. Entonces oímos un ruido en la vereda.

—¡Papá! —dijo Marta, y enmudeció. Los demás nos quedamos como estatuas.

—Yo le voy a hablar —dijo por fin Rocha mirando a Marta—. Después de la pelea nos casamos y listo...

A mí no me parecía tan fácil. Cuando nos viera juntos haría venir al regimiento completo. Me levanté y miré la ventana para intentar un retiro decoroso. Avila Gallo abrió la puerta de calle, prendió la luz del hall y dijo a media voz:

—Está haciendo fresco y tanto estar quietos... dejen los fierros ahí y vamos a hacer café.

Se me aflojaron las rodillas. Le di un manotazo a la puerta y la empujé sin cerrarla del todo para no hacer ruido. Los nervios me cambiaron de lugar la llave de la luz, pero al fin la pude apagar. Tarde: Avila Gallo había visto el reflejo sobre el pasillo y llamó con una voz que tenía la intención de ser musical:

—¿Martita?

Saqué el encendedor y lo prendí. Busqué el camisón y se lo alcancé.

—¡Salga! —le dije, apagando el tono—. Salga y diga cualquier cosa...

—Yo le voy a hablar —repitió el grandote, pero ahora en voz baja y sin entusiasmo. Le chisté lo más suave que pude y soplé la llamita del encendedor.

—¿Martita? ¿Estás ahí, querida? —insistió el doctor.

Marta se levantó con una energía inesperada y se puso el camisón. Mientras me apartaba de la puerta y me pegaba a la pared pensé que iba a entregarnos. Salió y allí mismo se encontró con su padre.

—Martita, ¿qué hacés con la luz prendida, mi vida?

Debe haber visto el desastre en el pasillo porque dijo con tono disgustado:

—¿Y esto? ¿Cómo se cayó todo esto? A que lo tiró la bestia...

Rocha chasqueó la lengua dándose por aludido. Por el ruido me pareció que Avila Gallo juntaba los pedacitos.

—Fui yo, papá... no sé cómo...

—Bueno, bueno... A ver... el teléfono tiene tono, no es nada... dame un beso. Humm, ¿qué es ese olor que tenés en el pelo?

—¿Qué?... No...

—¿Qué te pusiste?

El grandote debía estar oliéndose el ungüento que le habían puesto en la mano.

—Es para aclarar el pelo —dijo Marta—. ¿Estás con gente?

—Los muchachos de la guardia están en el estudio. Vamos a tomar un cafecito. Andá, que no te vean así. ¿Ya te levantás?

—Media horita más. ¿Me dejás?

—Dame otro besito.

Se lo dio.

—¿Rocha se durmió temprano?

—Creo que sí. No lo escuché en toda la noche.

Su voz alcanzaba un seguro tono de indiferencia.

—Bueno, lo voy a despertar, ya son las seis.

—¿Te fue bien en el regimiento? Dejalo un poco más, pobre.

—Sí, bien, lo de siempre. Por ahí quiere tomar el café con nosotros.

—No, esperá papito. Cuando me vista voy a comprar factura y lo invitamos.

—Bueno, pero no hay que dejarlo dormir mucho. Andá.

Marta entró, cerró la puerta y prendió la luz. Suspiró y se quedó mirando el piso, compungida. Me acercaba para disculparme cuando sonaron dos golpecitos a la puerta. Mingo se tiró atrás del ropero, Rocha al otro lado de la cama y yo me pegué a la pared para que la puerta me tapara. Marta abrió.

—Traé bastantes medialunas, ¿eh? —dijo el doctor.

Ella debe haberle sonreído porque no contestó. Enseguida cerró la puerta. Rocha se levantó y Mingo salió de su escondite. El grandote la abrazó, le dio un beso en una mejilla y se puso a acariciarle el pelo.

—Quiero hablarles —dije.

El grandote me miró. Hablé antes de que abriera la boca.

—Quiero disculparme —dije con la voz más delicada que pude—. Estuve grosero y atrevido.

Rocha levantó los hombros. Tenía los ojos cansados pero satisfechos. Había pasado una buena noche y su enojo se evaporaba.

—Está bien —hizo una mueca—. Si se disculpa... ¿Le hice mal?

—Se me pasó con el susto. Tiene que volver a su pieza, rápido.

—Y cómo.

Miró a Marta como si ella tuviera la solución. Y la tenía.

—Yo me visto, después voy a la cocina a saludar a esa gente y cierro la puerta. Entonces vos pasás a tu pieza.

—¿Y ellos? —nos indicó con un gesto de la cabeza y entonces se acordó que Mingo estaba allí—. ¿Qué hace acá ese ciruja?

—Me acompañó para darle una mano.

—Muchas gracias. Una mano bárbara me dieron.

—Le digo en serio, los milicos están con Sepúlveda...

—A ése lo peleo sentado. No me hable más del asunto... Al final, dígame, ¿usted es amigo mío o de Sepúlveda?

Estaba enojándose otra vez y levantaba demasiado el tono.

—Usted sabe que así no puede pelear. Tiene una mano lastimada y no durmió en toda la noche.

—El que gana va por el campeonato. Vaya a decírselo a su amigo —se había puesto irónico. Luego ordenó—: Ahora se dan vuelta que Martita se va a vestir.

—¿Y usted? —dijo Mingo.

Se miró, sorprendido, y se puso colorado.

—Tengo la ropa en la otra pieza —explicó a modo de disculpa.

Los tres nos dimos vuelta mientras Marta se vestía.

—Oiga, Rocha —insistí—. Caminamos toda la noche buscándolo para avisarle. Hasta fuimos al...

Mingo me fusiló con la mirada y torciendo los ojos señaló a Marta.

—Bueno... anduvimos por todos lados —continué—, ¿se cree que vinimos a hacerle un chiste?

—Si lo tiro no me pueden afanar, ¿no? ¿En qué round lo quiere?

Encima me cargaba. Marta vino a peinarse al

espejo de la cómoda. Se recogió los cabellos en una larga cola que dejó caer sobre la espalda. Con el vestido azul cerrado hasta el cuello parecía más flaca y volvió a darme la imagen desgarbada de la primera vez que la vi. No podía decir delante suyo lo que pensaba del doctor y me di cuenta de que para Rocha mi insistencia no era sino una muestra de desconfianza hacia él. Como si yo temiera que Sepúlveda pudiera llegar en pie al final y los jurados le dieran la pelea.

—Quédese tranquilo —dijo el grandote y me apretó un brazo—. Yo conozco el paño.

No iba a convencerlo. Volví mis ojos hacia Marta y estuve mirándola un rato. Sentí una cierta ternura por esa muchacha frágil que terminaba de calzarse los zapatos sentada al borde de la cama. Me fijé en la habitación con más detenimiento. Sobre la mesa de luz había un frasco de gotas para los ojos y un ejemplar de la revista *Nocturno* abierto en la página en que Rocha la había sorprendido. Sobre un estante adosado a la pared se alineaban unos pocos libros de la colección *Tor* entre los que me pareció ver *El conde de Montecristo*, que yo también leí alguna vez. Sobre la cómoda había un pequeño cofre de imitación porcelana, un jarrón de rosas frescas y el retrato de Avila Gallo casándose con alguien. Otra foto, hundida en la ranura del marco del espejo mostraba a Marta de 12 ó 13 años, en un vestidito de organdí, con dos trencitas y sonriente. Sobre la cama colgaba un crucifijo plateado al que parecían lustrar a menudo. Más allá había un cuadro pequeño con un paisaje de pinos y nieve. Iba a seguir el inventario cuando Marta sugirió:

—Ustedes podrían salir por la ventana.

Mingo la abrió con cuidado. La luz del día invadió la amarillenta claridad de la lámpara. Discretamente, Rocha se había puesto el calzoncillo y la camiseta del Cicles Club. Marta estaba terminando de hacer la cama.

—¿Quiere sacarme de un apuro? —pregunté al grandote.

Me miró con desconfianza.

—Venga dentro de dos horas a la esquina de la estación.

—¿Qué le pasa?

—Me buscan los matones.

Se sorprendió. No era el momento de contarle toda la historia.

—Vaya a la policía —me dijo.

—¿Va a venir o no?

—¿Qué quiere? ¿Que lo defienda?

—Claro.

—¿Cuántos son?

—No se trata de pegarles. Si usted está conmigo no van a tocarme.

Se hinchó de orgullo.

—Déjemelos nomás.

—Dentro de dos horas, entonces —le guiñé un ojo y me pareció que me devolvía el gesto.

Mingo recogió los zapatos y saltó el primero, con más agilidad de la que yo esperaba. Desde el corredor alcancé a ver a Rocha con su calzoncillo azul y su camiseta amarilla tomando a Marta de la cintura y besándola en el cuello. Después empujó la ventana y me la cerró en la nariz.

—Los años que no veía una mujer desnuda —dijo Mingo.

CAPITULO XI

Estaba chupando el décimo mate mientras Mingo usaba la letrina que había armado al fondo del baldío, entre dos árboles. Era un pozo cubierto por una tabla y un cajón de fruta agujereados, que le permitían sentarse con cierta comodidad, aunque en invierno no debía ser divertido. Me puse otro pantalón de la valija que Mingo había escondido y colgué la ropa a secar al sol. A las nueve y media Rocha bajó de un taxi en la entrada de la estación y miró para todos lados. Dos pibes lo reconocieron y se pararon a hablarle. El grandote le pasó una mano por la cabeza al más chico y después amagó tirarle un gancho al más alto. Me puse los zapatos que no se habían secado del todo, me metí el saco que había dejado colgado en una rama y crucé la calle.

—¿Dónde estaba? —me preguntó.

—Enfrente, en casa de mi amigo.

Miró, pero como no vio más que el baldío creyó que era un chiste.

—Mingo —le dije.

—¿Quién es Mingo?

—El que estaba hoy conmigo.

Frunció la nariz. Estaba más cansado que yo y eso era decir demasiado.

—¿Qué hace con un ciruja? ¿Sabe el papelón que me hizo pasar?

Junto a nosotros pasó un chico con un atado de diarios. Rocha lo vio, lo dejó ir cinco metros y le chistó. El pibe se volvió y le vendió *La Razón*. Era la quinta del día anterior.

—Vamos a ese bar. Tengo que hablarle.

—¿Dónde están los matones? Se lo arreglo enseguida.

—Venga, tómese un café.

Era uno de esos boliches con mostrador y mesas de fórmica. Estaba desierto y el patrón nos preguntó qué íbamos a tomar sin moverse de atrás de la caja. Pedí dos cafés.

—¿Va a pelear, entonces? —nos habíamos sentado cerca de la puerta.

—¿Otra vez va a empezar con eso?

Le conté lo que me había dicho Mingo.

—Y usted le cree a un ciruja —dijo decepcionado, mirando la espuma del café.

—Aunque no fuera así, tiene que aceptar que sin haber dormido y encima lastimado no tiene muchas posibilidades.

—A un tipo como Monzón no lo pelearía ni

por teléfono —hizo una mueca que quiso ser son-risa—, pero a éste lo saco enseguida.

—¿Y si no?

Levantó los hombros, apoyó los codos en la mesa y me tiró encima sus ojos aguachentos, ro-deados por grandes ojeras violetas.

—¿Me da un cigarrillo?

Se lo di y le grité al patrón que me trajera otro paquete.

—¿Y si no? —repetí.

Estuvo un rato callado, fumando despacio.

—Es la última oportunidad que tengo, ¿sabe?

—Usted no es viejo.

—Treinta y cuatro. Los últimos cartuchos.

Me tomé el vaso de agua y le miré la cara llena de marcas.

—La última. La tomo o la dejo.

—¿Y después?

Empezó a toser. Hacía un ruido lastimero, como los perros atragantados. Corrió la silla para atrás arrastrándola y sacó un pañuelo arrugado. El patrón lo miraba.

—No hay que fumar, los deportistas no tienen que fumar —gritó desde atrás del mostrador don-de estaba preparando sándwiches. Rocha no lo oyó o lo ignoró. Cuando dejó de toser se sonó la nariz y quedó jadeando por un rato.

—Mire que usted es cargoso, eh —dijo por fin.

El patrón trajo los cigarrillos y nos miró con ganas de engancharse en la conversación, pero la mirada de Rocha lo desalentó y se fue enseguida.

—Bueno —dijo el grandote—, ¿quiénes son los que lo andan jodiendo?

Le conté lo que había pasado desde que él se tuvo que ir a lo de Avila Gallo.

—¡Cómo me va a ir a buscar a un quilombo! ¿Por quién me toma?

—Lo podrían haber obligado, qué sé yo...

—¿No ve? Usted cree que a mí me pueden tomar de gil y resulta que después viene a pedirme la escupidera.

Movió la cabeza en un gesto paternal y agregó:

—¿Qué necesita?

—Lléveme con usted a todas partes. Al lado suyo no se van a animar a tocarme.

—Qué quiere, ¿que lo meta en el ring?

—Sí.

Se echó para atrás, perplejo.

—Me está cargando.

—Hablo en serio.

—¿Cómo, en el ring?

—De manager, de segundo, esos que le echan agua en la cara cuando termina el round.

—Ellos van a ponerme uno.

—Dígales que no, que yo soy su manager.

Le costó acostumbrarse a la idea de que le hablaba en serio. Lo estuvo pensando un rato mientras se tomaba el café.

—Usted me va a tirar la toalla —dijo.

—¿No ve? Ni usted mismo se tiene fe.

Negó con la cabeza, molesto.

—Se lo digo por decir. ¿Sabe cuántas peleas tengo?

—No.

Parecía que estaba cobrando desde la escuela primaria.

—Ciento ochenta y cuatro. Y ninguna toalla. Un día un tipo quiso tirar la esponja... ¿sabe lo que hice?

Yo estaba verdaderamente interesado.

—Lo tiré abajo con balde, esponja y todo. Me descalificaron por inconducta, pero a mí nadie me dice lo que tengo que hacer.

—¿Tampoco Marta?

Me sostuvo la mirada hasta que tuve que encender un cigarrillo.

—Perdóneme —dije por fin—, no quise meterme en lo que no me importa.

—¿No le importa? —me resopló el humo en la cara—. ¡Si hasta viene a ver lo que hacemos en la cama!

—No lo hicimos adrede, ¿cómo iba a pensar que...?

—Porque los únicos que levantan minas son los artistas, ¿no?

—Yo no dije eso. Pero la flaca estaba regalada...

Enrojeció, tiró el pucho y empezó a levantarse.

—Repita eso.

Corrí la silla para atrás.

—Tranquilo, le digo en joda. Para hacerlo enojar...

Se sentó, aliviado.

—No juegue con eso. A Marta no me la toque.

Asentí. Estuvimos callados un rato. Por fin, esquivando mi mirada dijo:

—Después de la pelea le voy a hablar al doctor, no quiero ponerme nervioso antes.

—¿Va a formalizar?

Sentí un extraño placer en ponerlo incómodo.

—Y... la piba me gusta... y yo soy el primer tipo que ella... el primero, ¿me entiende?

—Entendido. Usted es un tipo rápido, viejo.

Puso cara de pícaro.

—¿Quiere ser padrino?

—¿Manager y padrino?

Dudó un poco pero por fin se decidió:

—Hecho —levantó el pulgar de la mano izquierda. Seguía inflamada y en el lugar del golpe, sobre la vieja cicatriz, tenía una mancha violácea—. Pero tiene que prometerme una cosa.

—¿Qué?

—Que después de la pelea le da una serenata a Marta de mi parte. Un par de tanguitos en la ventana. Por ahí hacemos algo a dúo.

—Ya no se usan las serenatas.

Imaginé al doctor y a los muchachos de la guardia contemplando el espectáculo.

—Ya sé que no se usan, pero por eso mismo. No cualquiera puede llevar a Andrés Galván a cantar a la ventana de la novia.

—No es eso... es que yo no acostumbro...

—¡No acostumbro! —se burló—. Mire en los líos que se mete por las cosas que no acostumbra. Acuérdese del autógrafo...

Sonreí, puse cara de resignado y cerré la discusión.

—De acuerdo.

Se puso contento y estuvo soñando con las horas que seguirían a la pelea.

—Mire —dije—, voy a tomar la primera medida como manager. Nos vamos a la pensión y dormimos hasta dos horas antes de la pelea así los dos estamos en estado.

—Es que el doctor me invitó a comer.

—Lo llama desde la pensión y le dice que va a comer conmigo. No, mejor lo llamo yo, así sabe que voy a estar en su rincón.

—No me conviene distanciarme de él, no se olvide, no meta la gamba.

—No se preocupe. Para devolverle la gentileza usted los invita a comer a Marta y a él después de la pelea. Y cuando se van a acostar hacemos la serenata, ¿qué le parece?

—¡Esa es una idea bárbara! —estaba cansado como un gallo de riña y yo le proporcionaba una buena excusa para meterse en la cama—. Si lo hubiera encontrado antes, por ahí ya era campeón.

Sonreía con toda la dentadura.

—Vamos —se paró—. Yo pago. En taxi, ¿eh?

La vieja de la pensión nos dio la misma pieza. Le pedí el teléfono, busqué el número de Avila Gallo en la guía y rogué para que su aparato funcionara. Lo que le dije no le gustó nada y me lo hizo saber. Aproveché para recordarle que me debía la plata del contrato y la quería para la noche. Le dije también que Rocha y yo tomaríamos el tren del lunes. Después le transmití la invitación a cenar. Me pidió que le pasara con «el señor Rocha». Le dije que ya estaba durmiendo.

—Durmió toda la noche —dijo—. No puede pasarse la vida en la cama.

—Hace eso antes de cada pelea. Y dígale a Sepúlveda que tenga cuidado: antes de acostarse rompió el ropero con la derecha.

Dije a la vieja que no nos molestara para nada y que no estábamos para nadie. Le pedí que nos llamara a las siete de la tarde y tuviera la ducha lista. Antes de irme a la pieza le di una buena propina.

Cuando entré, Rocha roncaba en la misma posición en la que se había tendido en la cama. Me desvestí, agarré el diario y me acosté. Un pequeño recuadro en la página de deportes, fechado en Colonia Vela, anunciaba el combate, pero la cara que aparecía en la foto era la de Sepúlveda. «El invicto pesado local, Marcial Sepúlveda, enfrentará el domingo al veterano pegador Tony Rocha. El vencedor del combate de

Colonia Vela se convertirá automáticamente en aspirante a la corona argentina por la que disputará un match decisivo en enero próximo en el Luna Park frente al cordobés Jorge Saldívar. De sus últimas cuatro peleas, Rocha ganó dos, perdió una y empató la restante, mientras que Sepúlveda (23 años) es invicto luego de 24 combates como profesional, habiendo ganado los siete últimos por nocaut.»

Escondí el diario. Yo no era un experto en boxeo pero había visto muchas peleas de Gatica para acá. El problema era que nunca había visto a Rocha. Recordé la pregunta que me hizo el jefe de la estación cuando llegué. Lo que el grandote me había dicho a la mañana confirmaba la versión de que estaba terminado, o por lo menos cuesta abajo. Pensé que había sólo dos cosas que podrían jugar como cartas de triunfo: Marta y el amor propio de Rocha. Era difícil que ella fuera a la pelea, de manera que tenía que conseguir que la viera antes. Estuve dándole vueltas a la idea; me levanté, me puse el pantalón y le pedí el teléfono a la vieja. La propina la había puesto amable. No supe cómo iba a explicarle a Avila Gallo que quería hablar con su hija. Le pedí a la vieja que llamara ella y le hiciera pasar el teléfono de parte de un nombre cualquiera. Gruñó un poco, pero aceptó. Le avisé a Marta que a las ocho pasaríamos a buscar el bolso y que Rocha quería verla. Me dijo que bueno con un tono más bien seco, pero que dejaba entrever entusiasmo. Supuse que el doctor estaba a su lado.

Me fui a la pieza y tardé un rato en dormirme. Estuve pensando si esa mano que colgaba de la cama vecina sería capaz de golpear contra algo más sólido que una almohada.

CAPITULO XII

Cuando tiraron la puerta abajo eran las tres de la tarde. Estaba cerrada con doble llave y no se molestaron en pedirle un duplicado a la vieja. Me senté de un salto y vi a los cuatro tipos que nos apuntaban. El gordo y Gary Cooper estaban en primera línea. Los otros eran morochazos, macizos y no parecían simpáticos. El gordo me cruzó la cara con un revés de derecha y me arrancó de la cama limpito. Rocha se paró con aire de no saber si soñaba o si empezaba a despertarse. Uno de los morochos le apoyó el caño de la ametralladora sobre el pecho y lo sentó al borde de la cama.

El golpe no me dolió demasiado pero veía la escena cubierta de puntos blancos, como una fotografía manchada.

—Levantate, manager —dijo el gordo.

Empecé a ponerme de pie.

—¿Así que sos chistoso?

No le contesté. El tipo parecía nervioso y se

movía como si le hicieran cosquillas en un momento inoportuno. Dejó la ametralladora sobre la silla donde estaba la ropa de Rocha, y se me vino. Me apoyó una mano en el pecho y me empujó contra la pared.

—Te hacés el vivo, ¿eh?

No le interesaba mi opinión. Me tiró otro revés pero lo amortigüé con los brazos. Eso lo disgustó y me puso una izquierda en la frente; golpeé la nuca contra la pared y resbalé hasta el piso. El tipo debía llevar un anillo porque la sangre me cubrió un ojo. Quedé bastante mareado, pero el estruendo de maderas rotas me despertó. El morocho que había estado apuntando a Rocha rompió el espejo y la puerta del ropero con la espalda y quedó tendido con medio cuerpo adentro del mueble. Rocha se subió a mi cama y casi tocaba el techo con la cabeza. El gordo salió disparando a buscar la ametralladora, tropezó con Gary Cooper y gritó:

—¡No le tiren! ¡No le tiren!

Rocha saltó de la cama y avanzó. Gary Cooper levantó la ametralladora y le apuntó, pero el grandote no debe haberlo visto. Lo agarró del pelo largo, lo zamarreó y de un empujón lo tiró afuera como antes a Romerito. El otro morocho se dio cuenta que le tocaba a él y se le adelantó: con la delgada culata del arma le pegó en el estómago y Rocha se dobló. Entonces le dio con la rodilla derecha y el grandote cayó sentado junto a la cama, abriendo la boca.

—Basta, basta —dijo el gordo—, tranquilos que éste tiene que pelear.

Yo me había quedado en el suelo, limpiándome la sangre con el borde de una sábana. El gordo se me paró adelante, me pateó un tobillo con cierta tolerancia y me escupió.

—¡Manager! —dijo—. Linda idea. Después de la pelea nos vamos a ver.

El morocho sacudió un poco a su compañero y lo ayudó a levantarse de entre los restos del ropero. El tipo no parecía enterado de lo que le había pasado. Gary Cooper apareció en la puerta, otra vez peinado y con ganas, pero el gordo lo tranquilizó:

—Después, Beto, después.

Beto levantó un zapato de taco alto que había perdido en el entrevero y se lo puso apoyándose en el marco de la puerta. Los dos morochos salieron adelante mientras Beto le apuntaba a Rocha. El gordo se echó la ametralladora al hombro, metió la otra mano en el bolsillo del saco y me tiró algo a la cara. Lo reconocí enseguida.

—Ya no le hace falta al pobre —dijo.

Se fueron. El sombrero de Mingo estaba en el suelo y tenía desprendida la cinta negra. Lo levanté: todavía seguía mojado y olía mal. Fui hasta el lavatorio, me limpié la herida y tomé un vaso de agua. Rocha se había sentado en la cama y se tocaba la mandíbula.

—No se la llevaron de arriba —dijo.

Estaba un poco aturdido todavía.

—Mataron a Mingo.

Levantó la cabeza y tardó un rato en entender.

—¿Cómo sabe?

Le alcancé el sombrero. Lo miró por dentro y por fuera y lo dejó sobre la cama.

—¿Está seguro? ¿Quién va a querer matar a un croto?

—¿Por qué cree que nos trajeron el sombrero? ¿De regalo?

Lo agarró otra vez, ahora con más interés, y lo estuvo desarrugando.

—¿Tenía familia?

—No.

—Entonces vamos a tener que velarlo nosotros.

Lo dijo con voz grave. De golpe se había conmovido. Dejó el sombrero y empezó a calzarse los zapatos.

—Para qué —dije—. ¿De qué sirve?

Agarró su campera, buscó mi saco y me lo tiró por encima de la cama.

—Era su amigo, ¿no? —dijo—. Lo menos que puede hacer un amigo por otro amigo es prenderle una vela y echarle una palada de tierra encima cuando llega la hora.

El taxi nos dejó a tres cuadras porque la policía estaba cerrando las calles para el desfile. Rocha caminaba delante mío y furtivamente cortó dos rosas de un jardín. Se paró frente al baldío y no supo por dónde entrar, acobardado por el yuyal que llegaba hasta la vereda. Le enseñé el camino hacia el rancho y entró con el ramo de flores tendido hacia adelante, como si llegara de visita. El cuerpo estaba colgando de la gruesa rama que sostenía el techo. Lo habían ahorcado con un cinturón y tenía la lengua larga y azul volcada sobre la barba. Lo que se veía de la cara era de un blanco intenso y los ojos miraban hacia abajo, todavía asustados.

—Carajo —dijo Rocha con voz respetuosa.

Yo me corrí a un costado para escapar de los ojos de Mingo, pero la mirada opaca me siguió hasta que me puse detrás del cadáver. Tenía el pantalón gris a rayas caído sobre los zapatos y el piloto recogido sobre la espalda debió haberle inmovilizado los brazos. El cajón donde ponía la yerba, el azúcar y el mate, estaba caído y tenía una tabla rota, como si alguien lo hubiera pateado. Entre las cosas desparramadas por el suelo había dos cabos de velas consumidos. Acomodé el cajón, le pedí a Rocha que sostuviera el cuerpo por la cintura y subí a desatar el cinturón. El cadáver cayó, rígido, sobre los hombros del grandote que lo depositó en el suelo cuidadosamente. El piloto se había abierto y dejaba ver las quemaduras en las piernas y en el sexo, donde el pelo estaba chamuscado. Lo cubrimos con una manta. Rocha encontró una vela consumida hasta la mitad y los dos cabos que estaban tirados. Los dispuso en el suelo, a la altura del pecho, y me pidió el encendedor. Prendió tres llamitas tenues, se hizo la señal de la cruz, y se quedó arrodillado. A lo lejos se oía sonar una banda. Eran las cinco de la tarde cuando las campanas de la iglesia tocaron a pleno. Las velas se fueron apagando y sólo teníamos la luz del sol que entraba muy débil por el agujero de una bolsa. Corrí la cortina de arpilleras y salí al baldío. Respiré profundamente y me quedé un rato mirando el cielo donde flotaban algunas nubes blancas. Por la calle pasó un matrimonio con dos chicos que me miraron y luego hicieron algún comentario divertido. La banda interpretaba una marcha épica de guerra concluida. Rocha salió agachándose por la estrecha abertura, se me acercó con la cabeza baja y me puso una mano sobre un hombro.

—Mañana, con la plata de la pelea, compramos el cajón —dijo.

Estuvimos un rato en silencio paseándonos entre los yuyos. Recordé los grillos, el avión, la voz de Mingo, vagamente sus gestos.

La gente caminaba hacia el centro atraída por la música. Hice una seña a Rocha y nos fuimos alejando en dirección contraria. Dos cuadras más allá encontramos un barcito con mesas y sillas de hierro y pedimos dos cervezas. Rocha estaba triste y yo me quedé un rato mirando a los que pasaban, tomando la cerveza a tragos cortos, tratando de sacarle algún gusto.

—¿Cómo es Sepúlveda? —pregunté por decir cualquier cosa.

Rocha frunció el morro.

—Un mocoso fanfarrón —dijo.

—¿Por qué?

—Todos fuimos así alguna vez, jetones.

Jugaba con la tapa de la botella y de vez en cuando picaba un maní del platito. Las otras mesas estaban vacías. Rocha acercó una silla y estiró una pierna sobre ella. Después, como haciéndose el distraído, dijo:

—¿Por qué quiere ser mi manager si no me tiene confianza? ¿Por interés, nomás?

—En una de esas usted gana y juntos llegamos al campeonato del mundo.

—Fuera de joda —sonrió—, ¿me tiene fe?

—¿Cómo está de la paliza?

—¿Qué paliza?

—La de recién.

—Ah, eso no fue nada —se golpeó la mandíbula—, esto es de fierro, toque, vea...

Tenía la barba bastante crecida.

—¿Cuántas veces lo voltearon?

—¿A mí? —dejó salir un silbido de suficiencia—. Dos, y cuando era pibe. Después, nunca. Mire que una vez me agarró un auto y ni me desmayé. Me levanté y fui al hospital a pie, con dos costillas rotas. ¿Qué me dice?

—Que en una de esas...

Se rió con una carcajada franca, de conocedor del oficio.

—No se haga el gil —dijo—, usted sabe que voy a ganar fácil. ¿Sabe la biaba que nos van a dar después? Ganarle al candidato local es como ganarle al caballo del comisario.

—¿Entonces?

Sonrió y me mostró las palmas de las manos.

—Me gustaría ver a Marta.

—La va a ver.

Abrió los ojos como bochas.

—¿Cuándo la voy a ver?

—A las ocho. Vamos a ir a buscar su bolso a la casa del doctor y ella va a estar esperándolo. Yo le hablé esta mañana.

Me apretó el brazo de tal manera que me pregunté cómo estaría la flaca de las costillas.

—Usted es un amigo.

Estuvo mirándome un rato. La tristeza se le había pasado como una simple borrasca.

—Y usted... —empezó a decir.

Al fin juntó coraje.

—Aparte de cantar..., aparte los discos y esas cosas...

Juntó los índices de las dos manos y me guiñó un ojo.

—No, a mí no me espera nadie, si es eso lo que quiere saber.

La respuesta lo dejó un poco perplejo.

—¿Nadie, pero nadie?

—Bueno, hay una morocha que cuando se emborracha se acuerda de mí.

Le pareció que había que indignarse. Movió la cabeza y me consoló:

—¡Hay cada una...!

Vació la copa de un trago. Empezaba a embalarse.

—Pero familia tiene... digo hermanos y esas cosas...

Miré el reloj. A las seis el pueblo empezaba a quedarse sin sol.

—Ya vamos a hablar en el tren. El tirón es largo.

—Yo duermo todo el viaje. El ruido del tren me da modorra. ¿Tomamos otra?

—No. ¿No tiene hambre?

—Para un churrasquito, nomás. Lo que como antes de las peleas...

Pregunté al pibe que nos atendía y nos dijo que pasáramos adentro. Comimos costeletas con ensalada y después del café empecé a sentirme mejor. Rocha estaba de buen humor y me contó que cada vez que ganaba una pelea su abuelita le hacía empanadas santiagueñas. Dijo que cuando llegáramos a Buenos Aires le iba a hacer preparar tres docenas y nos iba a invitar a Marta y a mí. Después me preguntó si me parecía que tendría que pedir un minuto de silencio en el estadio por la muerte de Mingo.

CAPITULO XIII

A las ocho menos cinco Rocha se apoyó con entusiasmo en el timbre de la casa del doctor Avila Gallo. Del balcón colgaba una bandera azul y blanca recién planchada y alguien había baldeado la vereda. Escuchamos unos pasos apurados que venían hacia la puerta. El grandote se estiró el pulóver con las dos manos y preparó su mejor sonrisa. Una gorda de pelo negro asomó sus anteojos por el vano de la puerta que había abierto veinte centímetros. Era una versión femenina del doctor. Los ojos de Rocha se apagaron de un soplido, como velas de cumpleaños.

—¿Está la señorita Marta? —alcanzó a decir.

—Se fue a la velada —dijo la mujer y dejó la boca abierta como si tuviera mucho más por decir.

Rocha tragó saliva y preguntó con voz desfallecida:

—¿Qué velada?

—La velada de gala.

—Ah —murmuró Rocha y se quedó mirando a la gorda. Después de un rato el silencio se hizo espeso y la mujer cerró un poco más la puerta, de manera que sólo podíamos verle un vidrio de los anteojos.

—Bueno... —dijo.

Apurado por la puerta que se cerraba en su nariz, Rocha lanzó un golpe desesperado:

—¿Dónde queda?

—¿Qué cosa? —preguntó la gorda desde la ranura.

—Eso... la velada.

—En el teatro. ¿De parte de quién?

—Rocha.

—¿Usted es Rocha? ¡Me hubiera dicho antes!

Una luz de esperanza cruzó por la cara del grandote.

—Espere un momento —dijo la mujer, que abrió la puerta lo suficiente para que la viéramos alejarse moviendo unas caderas anchas como una mesa.

Rocha me miró y empezó a maltratarse los dedos hasta volverlos blancos. Me dio la espalda un segundo y enseguida se volvió, algo molesto.

—No vaya a ofenderse —me dijo—, pero si pudiera darse una vuelta...

Se alejó hasta el cordón de la vereda para ocultar la vergüenza que le daba pedirme que me las tomara. Iba a caminar hasta la esquina, pero vi que la gorda volvía por el pasillo.

—El doctor dejó esto para usted —anunció con una sonrisa y mostró el bolso de Rocha. El grandote no hizo ningún gesto para tomarlo. Tuve que ir en auxilio de la mujer y lo dejé sobre la vereda.

—¿Y ella? —le costaba articular—. Marta, digo.

—Se fue a la velada con el doctor. ¿Así que usted es el boxeador?

Rocha asintió.

—¿En el teatro me dijo?

—Que tenga mucha suerte esta noche —dijo la gorda mostrando los dientes, de los que nos dedicó el último brillo antes de cerrar la puerta.

El grandote se quedó mirando fijo un rato, retrocedió, tropezó con el bolso que yo había dejado en la vereda y estuvo a punto de irse al suelo. Pateó el bolso con furia, puteó y cuando levantó los ojos se encontró con los míos.

—¡Qué mira! ¡Qué carajo mira! —gritó.

No le contesté. Pegó tres o cuatro veces con el puño de la derecha contra la palma de la izquierda, dio un par de vueltas en redondo y por fin se sentó en el cordón de la vereda dándome la espalda.

—Es lógico —le dije—, tenía que acompañar a su padre, ¿no?

Encontró una ramita seca y estuvo haciendo

dibujos en el polvo que se acumulaba sobre el pavimento.

—A las nueve tenemos que estar en el gimnasio —le recordé.

Se puso de pie con la agilidad de un peso pluma y el gesto, aunque fugaz, me transmitió la incierta esperanza de no haberme dado cuenta hasta entonces de lo que era capaz ese gigante cuando le tocaban el amor propio.

—Espéreme allá —dijo y empezó a cruzar la calle.

Levanté el bolso y corrí tras él.

—¿Adónde va? —le grité.

—A buscarla.

—¿Está loco?

No respondió. Caminábamos a paso redoblado por la vereda desierta. Cuando llegamos a la esquina lo tomé de un brazo lo más firmemente que pude. Me arrastró un par de metros pero al fin se paró.

—Le dijo que iba a esperarme, ¿no? ¿Por qué no me esperó entonces?

—Ya le dije. El doctor debe haberla llevado con él.

—Le voy a hablar —empezó a caminar a grandes zancadas otra vez.

—Está chiflado, cómo va a hablarle en una velada...

—La voy a pedir.

Volví a tomarlo de un brazo pero me empujó

y se alejó un par de metros. Corrí y me le puse a la par.

—Cómo la va a pedir, Rocha, está loco... Después de la pelea...

—Ya mismo la voy a pedir. No me gustan las cosas a escondidas... le digo al doctor que somos novios y chau...

Se me acabó la paciencia y grité:

—¡Pedazo de boludo, no se puede hacer un pedido de mano en una velada!

De un manotazo me tiró contra la pared. Trastabillé, perdí el cigarrillo, se me cruzaron las piernas y caí estirado a lo largo de la vereda. El bolso se me escapó de las manos y rodó hasta la calle. Me había golpeado una rodilla y la palma de la mano izquierda me ardía como una quemadura. Dos tipos que pasaban por la vereda de enfrente se pararon un instante pero enseguida siguieron caminando sin dejar de mirarnos. Me sentí ridículo y furioso. Rocha se paró tres metros más allá y con voz dura dijo:

—¿Qué carajo es una velada de gala?

Empecé a levantarme. La rodilla me dolía y apenas podía apoyar la pierna.

—¡Váyase a la puta que lo parió!

Se acercó y me miró con curiosidad, como si no entendiera que yo estuviese maltrecho por tan poca cosa.

—Vamos, no es nada. Lo agarré mal parado, nada más.

Había empezado a putearlo otra vez cuando

se puso en cuclillas y empezó a sacudirme el pantalón.

—Ya está —dijo como tranquilizando a un chico—, no es nada, un rasponcito nomás.

Se puso de pie, recogió el cigarrillo, le dio una pitada y estuvo mirando cómo yo intentaba caminar otra vez.

—¿Qué es una velada de gala? —repitió.

—Puede ser un concierto, o algo así —dije.

Suspiró. Tendió la mano y me puso el cigarrillo entre los labios. Después fue a recoger el bolso y dijo, condescendiente:

—Está bien, si quiere venir conmigo, venga.

—¿Se cree que estoy persiguiéndolo para que me deje ir con usted? ¿Se da cuenta de que es un estúpido? Estaba tratando de evitarle un papelón, de que se le rían en la cara.

—¿Quién va a reírse?

—La gente. Todos.

—Pero si yo soy sincero, yo la quiero...

—Eso no tiene nada que ver.

—Bueno, métale que no tenemos tiempo.

Lo seguí rengueando media cuadra, pero cuando la caminata me calentó un poco la pierna el dolor se hizo llevadero. Pensé que a último momento, cuando viera lo que era una velada de gala, iba a cambiar de idea. Frente al teatro, sobre dos caballetes de madera, los carteles anunciaban la actuación de Romerito y sus guitarristas. El hall estaba desierto y cuando empujamos las puertas de vidrio asomó el fragmento de una sinfonía que sonaba a Vivaldi. La música suavizó el ímpetu del grandote que empezó a caminar en puntas de pie. Se detuvo un instante y luego, con la cabeza, me hizo señas de que lo siguiera. Abrió la puerta de la sala en el momento que un violín se elevaba en busca del paraíso. Nos paramos hasta acostumbrar los ojos a la oscuridad. El teatro estaba repleto. Rocha miraba boquiabierto hacia el escenario. Había una docena de músicos y un director de orquesta pelado que agitaba la batuta y se movía con bastante agilidad. Cuando la orquesta entró en pleno, Rocha me miró e hizo un gesto indicándome que le parecía sublime. Después encaró por el pasillo en declive. Dio cinco pasos y la oscuridad lo borró por completo. Sus trancos hacían crujir las maderas del piso a pesar de la alfombra. Yo podía ver al público de las últimas filas moviendo las cabezas hacia el pasillo y adivinaba los gestos indignados. Vivaldi se fue con un quejido que quería ser de éxtasis y los músicos aflojaron los músculos. La gente aplaudió a reventar. El director de la orquesta saludaba agachando la cabeza hasta la cintura. El capitán Suárez apareció en el escenario con un uniforme militar reluciente, se paró frente al director y le dio la mano mientras decía algo que el pelado agradeció con una inclinación de cabeza. Los aplausos llegaron al delirio y las luces se encendieron de golpe.

Al fondo del pasillo, Rocha repartía sus miradas entre el público que se había puesto de pie y el escenario. Parecía extraviado. Tomado entre dos fuegos, temeroso quizá de robar algún aplauso que no merecía, quiso remontar el corredor. Dio algunos pasos cuando debe haberse dado cuenta de que los músicos podían tomarlo por un amargado que no aprobaba el sentimiento de entusiasmo general. Entonces se dio vuelta hacia el escenario y empezó a aplaudir. Caminaba de espaldas hacia donde estaba yo, intentando una retirada honrosa. Alguien gritó «bravo» y enseguida fueron muchos. Un señor de traje negro que estaba cerca mío reclamó un bis y su señora lo imitó arrastrando largamente las iii. El doctor Exequiel Avila Gallo subió al proscenio, saludó al director de la orquesta, después al capitán Suárez y se adelantó levantando las manos para pedir silencio. Vestido de esmoquin era algo que valía la pena ver: esta vez el moño era negro, enorme, como si una gigantesca mosca se le hubiera parado sobre la camisa.

Aprovechando la expectativa provocada por la presencia del doctor en el escenario, Rocha dio los últimos pasos de espaldas y al tropezar con el bolso que yo había dejado en el suelo se dio cuenta de que estaba a salvo.

—Un momento inoportuno —comentó, mientras seguía aplaudiendo. A pedido del doctor la gente se dispuso a escuchar y las manos de Rocha dieron las dos últimas, estridentes palmadas sobre el silencio inquieto que el doctor había aprovechado para decir:

—Me felicito...

Avila Gallo tuvo que repetir.

—Me felicito —dijo con un tono casi femenino—, por ser el responsable de esta magnífica velada que las fuerzas armadas de la nación ofrecen hoy a Colonia Vela. Digo me felicito y no peco, señoras, señores, de inmodestia. Me felicito de haber descubierto en el teniente coronel Heindenberg Vargas además de un soldado ejemplar, un músico delicado y sensible. Un hombre que empuñó las armas en las horas más sombrías de la patria y hoy, cuando la paz y el respeto han sido restablecidos, empuña su simple batuta para regalarnos con estas maravillosas *Cuatro estaciones* que el inmortal Vivaldi hubiera querido escuchar esta noche en la sublime interpretación de la orquesta de cámara del regimiento cinco de caballería aerotransportada.

Los aplausos resonaron otra vez. Yo miré el reloj y rogué que Rocha se hubiera olvidado de la pelea. El también aplaudía, pero esta vez vigilaba los movimientos de los otros para frenar a tiempo. Sobre el escenario iluminado, Avila Gallo reclamaba un silencio que no quería. Por fin, la gente le dejó lugar.

—Pero es el capitán Augusto Suárez el artífice de esta velada de gala reservada a las fuerzas vivas de la ciudad, como también de los otros espectáculos que han sido organizados para la gente sencilla y laboriosa —sonrió y abrió los brazos—; porque como ustedes saben hay quien prefiere la rudeza de los puños a la sensibilidad del oído, así que Colonia Vela tendrá hoy boxeo y muy pronto su propio campeón mundial, surgido al amparo de la disciplina y el rigor de los caballeros del ejército argentino. Creo, señoras y señores, que aunque no podamos estar luego junto a él, el teniente primero Marcial Sepúlveda, que se bate esta noche frente a un hombre de la Capital, merece nuestro aplauso.

Empezaron a aplaudir. Sepúlveda, de uniforme, subió al escenario. Rocha se quedó duro.

—Ese es el que pelea conmigo, ¿no? —me preguntó.

Asentí. Se quedó mirando al escenario, sorprendido.

—¿Y a mí no me nombra? —dijo para sí mismo.

—Parece que no.

—Se acostumbra a presentar a los dos boxeadores, ¿no?

—Eso es en el ring. Parece que va a pelear contra todo el ejército, compañero.

Me miró. En sus ojos chiquitos estaba el asombro, pero también el brillo de la razón. Creo que por primera vez tuvo conciencia de lo que pasaría esa noche. La gente terminó de aplaudir. El capitán Suárez estrechó la diestra del teniente primero Sepúlveda mientras Avila Gallo, con un tono que quería mantener la compostura, gritaba:

—¡Suerte, campeón!

Sepúlveda era un poco más bajo que Rocha:

andaría en el metro noventa y tenía un cuerpo más estilizado y seguramente más ágil que el del grandote. Era rubio, su pelo estaba bien cortado y el uniforme le quedaba como a un galán de cine. Se adelantó ganando un discreto primer plano y dijo:

—Mi capitán, señores oficiales de las fuerzas armadas, señoras y señores: la ciudadanía y el ejército al que pertenezco con honra, me han otorgado una misión en un frente que por distintas causas ha estado siempre en manos de civiles. El frente deportivo. Allí estoy combatiendo y conmigo combaten todos mis camaradas. Como ayer en la guerra, donde vencimos con tantos sacrificios, hoy venceremos también en la paz. Pueden confiar en mí como siempre han confiado en los soldados de la patria. Pronto traeré a Colonia Vela la corona argentina y después la del mundo. Yo seré campeón y conmigo el verdadero país será campeón.

La gente empezaba a aplaudir otra vez cuando Rocha gritó:

—¡Campeón de mis pelotas!

El encanto se rompió. Se hizo un silencio espeso y las caras de todo el teatro se volvieron hacia Rocha. En las primeras filas, donde estaban los acólitos del capitán, la curiosidad era más sigilosa, como si cada cual esperara la orden que le indicara cómo comportarse. En el escenario, el capitán seguía inmutable, esperando que Sepúlveda continuara su discurso. Rocha avanzó

cinco metros por el pasillo y se plantó. Miró cómo
el público se revolvía en sus asientos, levantó un
brazo y señaló al teniente primero.

—¿Vos y cuántos más son los que me van a
ganar, pimpollito?

Ahora sí, con esa delicada palabra que había
mantenido oculta de su repertorio habitual, se
había ganado la audiencia. Creo que todos se
olvidaron de Sepúlveda para interesarse definiti-
vamente en Rocha. Menos el capitán, que seguía
allí parado, guardando una estoica posición militar que desafiaba la grosera invasión. Su voz sonó
como un rayo:

—¡Continúe con sus palabras, teniente!

Sepúlveda, que tenía los ojos clavados en el
grandote, casi pega un salto. Se acomodó, volvió
a mirar de reojo a Rocha y dijo:

—Sí, mi capitán. —Después tartamudeó—: Un
ejército que... que... quiere...

—Dale, alcahuete —dijo Rocha, y su voz lo-
graba tonos de ironía—, chupale el culo al cabo,
dale...

La penosa degradación a la que Rocha some-
tió al capitán Suárez despertó la indignación general; alguien gritó «que lo echen», otro pidió
«llamen a la guardia» y una mujer se atrevió con
un «está borracho». El capitán Suárez se dio
vuelta y lo miró por primera vez. No pude ver
sus ojos, pero se tomó casi un minuto para reconocer a Rocha y murmurar algo a los músicos
que, vestidos de riguroso negro, empezaban a

dejar los instrumentos en el suelo para buscar otra cosa entre el saco y la camisa.

El doctor Avila Gallo tomó la palabra.

—Amigos —dijo—, todos conocemos muy bien los escándalos que se preparan y se llevan a cabo antes de cada gran combate y leemos a menudo en la prensa las desagradables ocurrencias de hombres como Cassius Clay. Temo que el púgil capitalino, que tan correctamente se había comportado hasta hoy en Colonia Vela, quiera repetir aquí la degradante costumbre de la injuria y el insulto gratuitos a fin de colocar al teniente primero Sepúlveda en situación anímica desventajosa para el combate de esta noche. Todos estamos dispuestos a poner una cuota de humor para justificar su desatinada empresa, pero lo que no podemos permitirle es que sus injurias alcancen a las propias fuerzas armadas de la nación...

—¡Me cago en las fuerzas armadas y en este pueblo de mierda! —gritó Rocha, y pocos percibieron que su voz ronca se desgarraba. Giró sobre sus pies y nos miró a todos. Al público, al escenario, al capitán y a mí. Tenía los ojos un poco mojados, pero yo hubiera jurado que no lloraba. Por primera vez quise que peleara, que fuera al ring y demoliera al presuntuoso teniente, que lo cortara en rodajas e hiciera pedazos la serenidad del capitán y los veleidosos sueños del doctor y los ciudadanos de Colonia Vela. Quizá lo haya percibido, porque me miró un rato largo, mientras por el otro pasillo llegaban una docena de soldados armados y corrían hasta el escenario. El público estaba ocupado en observar los desplazamientos militares: los colimbas se ubicaron en las esquinas de la sala con las armas en posición de alerta, rutinariamente. Pero todos sabían que el grandote estaba solo. Tres conscriptos vinieron a buscarlo.

No se resistió, pero tampoco los ayudó. Se dejó arrastrar, tironear, apuntar. Hasta que se paró, se sacudió los soldados como si fueran avispas y llamó con toda la fuerza de que era capaz:

—¡Marta!

Y otra vez:

—¡Marta!

Todas las Martas que había entre el público deben haberse inquietado, pero ninguna acudió al llamado de Rocha.

—¡Marta! ¡Te quiero, Martita!

Sobre el escenario, el director y los músicos guardaron sus pistolas de servicio y a gran velocidad retomaron sus instrumentos. El doctor Avila Gallo pidió disculpas a la ciudadanía en nombre del ejército. En su voz había sorpresa y quizá también pena. En todo caso no por Rocha, porque miraba a la primera fila donde empezó a escucharse el llanto de una mujer.

CAPITULO XIV

La orquesta arrancó con un bis de la *Primavera*. Avila Gallo, el capitán y dos hombres más salieron al hall. La gente cuchicheaba, se hablaba al oído, se pasaba señas. Cuando Marta corrió hacia el pasillo donde yo estaba parado, todas las miradas la siguieron. Rocha había sellado su muerte civil, había destrozado su sueño de puntillas y encajes. En la semioscuridad junto a la cortina del fondo, me moví ligeramente y le cerré el paso. Ella se paró, sorprendida. Apretaba un pañuelito empapado y su cara me dio lástima. En otro tiempo, en otras circunstancias, Rocha y ella hubieran hecho una pareja como cualquier otra.

—¿Por qué? —me preguntó con una voz que apenas se sostenía—. ¿Por qué?

Empezó a llorar otra vez. Le tomé una mano y la atraje contra mi hombro. Por el cuello me corrieron sus lágrimas frías. Estuvimos un rato así, con fondo de Vivaldi, hasta que empezó a calmarse.

—El... él era el primer... —dejó de sollozar y dijo para sí misma—: Era tan dulce... nunca... ¿por qué hizo eso?

Pensé un rato pero no se me ocurrió nada adecuado.

—Se sintió estafado —dije.

Lloró un poco más, se pasó el pañuelo por los ojos y murmuró:

—¿Qué van a hacerle?

La puerta del hall se abrió y apareció el capitán Suárez seguido del doctor y los dos hombres. Cuando pasaron a nuestro lado alcancé a escuchar que Avila Gallo decía «igual, ya está reventado». Dio dos pasos más, se volvió y nos miró. Luego se acercó lentamente, haciendo esfuerzos por distinguirnos en la oscuridad. Cuando reconoció a Marta la tomó de un brazo y le dijo en voz baja, amenazante:

—Volvé a sentarte.

Ella le apartó la mano.

—No, me voy a casa. Tomo un taxi y me voy a casa.

—¿No te alcanza con el papelón que me hiciste pasar? —arrastraba la furia desde lo más hondo. Una furia sucia—. Andá a arreglarte la cara y volvé a tu asiento.

Era una orden.

—Papá, yo no quise...

—Ya vamos a hablar en casa.

Marta vaciló unos instantes pero le hizo caso.

—Fue culpa de él —dije.

El doctor levantó la cabeza pero la oscuridad me impedía verle la cara.

—¿Culpa de él? ¿Usted se cree que no sabemos quién le llenó la cabeza? Ese infeliz no es capaz de atarse los zapatos por su cuenta.

—¿Qué quiere decir?

—Que fue usted quien lo empujó a venir aquí, usted que trata de impedir la pelea contándole pavadas.

—Bueno, ya está. Preso Rocha, no hay pelea.

Se quedó callado un rato. Cuando habló parecía divertido.

—¿Preso? ¿Por qué lo habríamos metido preso?

—Injuria a las fuerzas armadas. Pueden fusilarlo por eso.

Se rió con cuidado, respetuoso de la orquesta.

—Usted nos toma por tontos, Galván —sacó un pañuelo y se lo pasó por la cara—. Mucha gente nos tomó por tontos y así les fue.

—¿Y qué van a hacer conmigo?

—Con usted. Hay muchachos que quisieran darle una paliza, eso es todo. No se crea tan importante, usted está tan muerto como el otro. Gatica, Gardel, de ésos ya no hay más, compañero.

Se fue por el pasillo a retomar su puesto en la primera fila. Balanceaba su cuerpo petiso y regordete forrado de negro.

Tomé el bolso y salí a la calle. Los jeeps del ejército estaban allí, cargados de soldados. Crucé a la plaza. Bajo un aromo, recortada por la luz de un farol más lejano, vi la sombra de Rocha que estaba sentado en un banco de madera, cabizbajo e inmóvil. Me paré a mirarlo. Recordé de pronto una película en la que el héroe, golpeado y humillado, sacaba fuerzas de su amor por una muchacha y destrozaba a sus rivales en un último gesto de dignidad. Encendí un cigarrillo y me acerqué. Rocha no se movió, ni siquiera para mirarme.

—¿Ya es la hora? —preguntó.

Le dije que sí.

—¿Trajo el bolso?

Lo puse sobre el banco, a su lado. Un trueno repentino me hizo estremecer. Después nos iluminó un relámpago, Rocha abrió el bolso y sacó un par de guantes gastados. Los estuvo mirando un rato.

—Los compré cuando tenía dieciocho años. Los primeros guantes son sagrados.

—Se hace tarde.

Levantó la cabeza.

—¿Me tiene fe?

—¿Se va a poner esos guantes?

—Si me dejaran...

—Lo van a dejar.

No quiso ir en taxi. Pregunté dónde quedaba el club Unión y Progreso y atravesamos la plaza para tomar por una calle empedrada. Un grupo de muchachos iba por la vereda de enfrente, seguramente a ver la pelea. Hicimos dos cuadras en silencio hasta que Rocha me preguntó:

—¿Ella estaba ahí?

—Sí.

—¿Usted la vio?

—Hablé con ella.

—¿Habló con ella? —se paró en el medio de la vereda.

—Un par de minutos, hasta que llegó el doctor.

—¿Estaba enojada conmigo?

—¿Por qué iba a estar enojada?

—No sé... me pianté... el soldadito ese me hizo engranar.

—Teniente primero —le recordé.

—Bueno, teniente. ¿Qué dijo Marta?

—Que le hubiera gustado ir a la pelea y estar cerca suyo.

Me pareció que se ponía colorado. Sonrió y sacudió la cabeza.

—¿Así dijo?

—Ahá. Estaba contenta de que usted no se haya dejado basurear.

—¡Qué mina, eh! —dijo y se encerró en una sonrisa.

Cuando llegamos a la esquina levantó los brazos, aparatoso, y me dio con la zurda en un brazo. Me puse en guardia y estuvimos haciendo fintas un rato. La gente nos miraba como a dos locos pero estaba demasiado oscuro para que nos reconocieran. No pude tocarlo más allá de los brazos y él me cacheteó las orejas un par de veces mientras giraba a mi alrededor amagando y riendo.

Cuando se me acabó el aire bajé la guardia y me apoyé en una pared, resoplando.

—¿Qué le parece? —dijo Rocha.

En la otra cuadra se veían las luces del estadio.

—Bien —asentí—, pero trate de no ir tan de frente —armé la guardia y avancé cubriéndome con el hombro—. Así, ¿ve?

Me miró un rato, curioso. Después se rió con ganas.

—¡Qué desastre! Como entrenador se hubiera muerto de hambre.

—Y sobre todo, confianza —le recomendé—. Téngase confianza. Como si...

Me di cuenta que estaba exagerando y empecé a caminar.

—Como si qué —me gritó desde atrás.

—Como si Marta estuviera en el ring side.

No me contestó y seguimos hasta el estadio sin cambiar una palabra.

Había una larga cola frente a la puerta. Algunos reconocieron a Rocha, lo silbaron y un gordo de traje gritó «te van a dejar la jeta como para chupar naranjas». Entramos abriéndonos paso entre la multitud y Rocha se quejó de que no hubiera una puerta especial para los boxeadores.

El ring había sido armado en medio de una cancha de básquetbol, al aire libre. También habían construido cuatro tribunas precarias, como esas que se usan para mirar los desfiles. Me pareció que había más gente allí de la que cabía en todo el pueblo.

Nuestro vestuario era un cuarto de tres metros por tres. Una de las paredes estaba cubierta de fotos de jugadores de River y de Boca. Sobre otra había un poster de Susana Giménez saliendo del mar y un armario de metal sin llave. Rocha tiró el bolso sobre la mesa de masajes en la que podría extenderse un peso mediano, pero nunca él. Un tipo bajito, vestido de blanco hasta las zapatillas, nos trajo toallas y un jabón.

—Déme los guantes y empiece a cambiarse —le dije a Rocha. Buscó en el bolso y me los alcanzó. Pesaban una barbaridad—. ¿Está seguro de que quiere usarlos? No va a poder levantar los brazos con lo que pesan.

—Están invictos —dijo mientras se sacaba el pantalón y lo tiraba sobre una silla.

Yo estaba saliendo cuando me chistó. Me di vuelta.

—Téngame la guita y el reloj. Y sáquese el saco. ¿Dónde vio un manager en traje?

Por un momento creí que era una broma. Estaba parado junto a la mesa, en calzoncillos, con aire de campeón caprichoso y me fulminaba con la mirada. Me quité el saco y lo acomodé en el respaldo de otra silla cuidando de que no rozara el piso mugriento.

—La corbata también —señaló.

Me la saqué.

—Y ya que está se arremanga un poco la

camisa, como para hacer ver que trabaja. Si quiere ser mi segundo no me haga pasar calor.

Me tiró una toalla.

—Y no fume en el vestuario —agregó.

Me eché la toalla al hombro y salí al pasillo. Pregunté por el vestuario del referí y le golpeé la puerta. Era un tipo de mediana estatura, morocho entrado en canas, con un bigotito recortado a la moda de los años cincuenta.

—Soy el segundo de Rocha —dije—. Galván, encantado —le tendí la mano.

Sonrió y me la estrechó.

—El gusto es mío. Creo que ya nos vimos en alguna parte, ¿no? ¿Cómo anda el veterano?

—Un poco caprichoso. Quiere usar los guantes con que debutó —se los tendí—. ¿Hay problema?

Los revisó un rato, los pesó uno en cada mano y me los devolvió.

—Está loco.

—Déle el gusto. Es su última pelea.

—¿La última? —parecía sorprendido—. Si gana va por el título en el Luna.

—Si gana.

Me miró, serio, y le dio cuerda al reloj.

—Nunca se sabe —dijo.

—¿Entonces?

—Se le van a hacer bolsa y se los voy a tener que cambiar en el segundo round. Además hace falta el acuerdo de Sepúlveda.

—¿Y si él no tiene problemas?

Hizo un gesto de indiferencia. Le di las gracias y me fui al final del pasillo donde parecía estar el vestuario del local. Golpeé pero había demasiado ruido adentro para que me oyeran. Entreabrí la puerta y enseguida un tipo me dijo «no se puede». Le dije quién era, consultó con alguien y me hizo pasar.

El teniente primero Marcial Sepúlveda estaba tirado en una larga mesa acolchada, relajado, con los ojos cerrados que apenas entreabrió para enterarse de quién era el visitante. Mi cara no debe haberle dicho demasiado porque volvió a cerrarlos. Un petiso de nariz achatada, que tenía puesta una remera con el nombre de su pupilo, le estaba masajeando una pierna. Un colimba me preguntó si yo era Galván y me sonrió, afectuoso. Me acerqué a Sepúlveda y le tendí los guantes.

—¿Rocha puede ponerse éstos?

Abrió los ojos pesadamente, como un gato, y pareció no entender. Después agarró los guantes, se sentó en la camilla y simuló sorpresa.

—¿Esto se quiere poner? Che, mendocino, mirá lo que quiere ponerse Rocha.

Le tiró los guantes. El petiso agarró uno y el otro se fue al suelo. El colimba me lo alcanzó.

—Pobre chico. Acá hay de los buenos —dijo el mendocino.

—No es por eso. Quiere usar éstos. Cábala nomás.

—Bueno, cosa de él.

Me lo devolvió tomándolo por una punta del cordón, haciéndolo colgar cerca de mi nariz.

—¿Está muy jodido? —preguntó Sepúlveda.

—¿Jodido?

—El viejo. Se cae solo, ¿no?

—No se crea.

—Oiga, no joda. No lo haga amasijar de gusto —estaba sinceramente preocupado—, cuando lo vea mal largue, ¿eh?

—Ocúpese de usted, no se vaya a llevar una sorpresa.

—No estoy fanfarroneando. Cuídelo.

Saludé y antes de salir agarré una botella con ungüento para masajes. El petiso me miró pero no dijo nada. En el pasillo se cruzaron dos chicos que hacían las preliminares y se saludaron cambiando caricias en la nuca. El que iba estaba bien peinado y de vez en cuando hacía una flexión de rodillas. El que volvía tenía las cejas inflamadas y el labio de abajo abierto. Lo habían mojado o había sudado demasiado. Alcancé a escuchar que decía «por puntos», pero su cara no tenía expresión.

Cuando abrí el cuarto de Rocha lo encontré moviéndose y tirando golpes al aire. Era una réplica, más vieja, tamaño gigante, de los que acababa de cruzar en el pasillo.

—¿Se había ido al cine? —gruñó.

—Estaba averiguando por los guantes. Puede usarlos.

—¿En serio?

Se los alcancé.

—¡Carajo que había sido bravo como manager! Cómo quiere que lo llame, ¿Maestro? ¿Profe?

Alguien golpeó la puerta y la abrió.

—Prepararse, muchachos —dijo y cerró de un portazo.

—Métame las vendas —dijo Rocha—. ¿Sabe?

Me las arreglé como pude. Las vendas habían sido blancas alguna vez y aún conservaban dos líneas azules cerca de los bordes. La mano izquierda estaba todavía un poco hinchada pero a esa altura sólo era un detalle más. La puerta se abrió otra vez y el mismo tipo asomó la cabeza.

—Hay que ir, muchachos.

—Ya va —contestó Rocha de mala manera.

—Métale que hubo nocaut en el semifondo. La gente está calentita... —sacudió los dedos de una mano y les sacó el ruido de un latigazo. Esta vez dejó la puerta abierta. Rocha se puso la toalla más grande sobre la espalda. Yo iba a salir cuando el grandote me agarró de un brazo.

—Oiga, quiero decirle algo —me pasó los guantes que había atado por los cordones—. Usted no sabe mucho del oficio y por ahí se impresiona con cualquier cosa. Escúcheme bien: si yo no se lo pido, no tire basura al ring. ¿Okey?

Lo miré haciéndome el tonto.

—Toalla, esponja o esas cosas, ¿okey?

—Okey.

Me guiñó un ojo y salió delante mío.

CAPITULO XV

Ni bien salimos del vestuario empezaron los silbidos. Rocha levantó la cabeza ajeno al ruido y trotó hasta el ring. Pasó entre las cuerdas con un movimiento que hasta fue elegante y levantó perezosamente un brazo. Después vino al rincón. Yo subí por una escalerita de madera y miré alrededor. El espectáculo era más impresionante de lo que suponía. En mis presentaciones yo estaba acostumbrado a un público respetuoso y cálido.

El referí subió despaciosamente y se apoyó en las cuerdas, canchero. Un fotógrafo que debía ser del diario local hizo un par de tomas con flash y se quedó esperando que llegara Sepúlveda. El tipo de blanco que nos había traído las toallas y el jabón llegó con un micrófono. Los silbidos seguían, pero ya eran menos agresivos. De pronto, el público estalló en una ovación: «Se-púl-ve-da, Se-púl-ve-da» y se puso de pie. Alguien hizo sonar una bocina que debía escucharse a diez kilómetros a la redonda.

Cuando Sepúlveda llegó al ring, Rocha lo esperó en el centro, sin abrirle las cuerdas. El teniente primero se le acercó y le tendió la mano pero por todo saludo Rocha le dio un golpe en el antebrazo. Los aplausos fueron aflojando y la gente empezó a acomodarse en las sillas del ring-side y en las tablas de las tribunas. Entonces otro ruido fue creciendo en el aire. Levanté la cabeza y vi un helicóptero que volaba sobre el estadio a baja altura, haciendo guiñar sus luces rojas. El presentador anunció la pelea con un lenguaje florido que se esfumó entre el barullo del helicóptero y la gritería que arrancó el nombre del crédito local. El referí estuvo haciendo un discurso en voz baja a los dos boxeadores que no prestaban la más mínima atención y se movían como epilépticos. Rocha le negó el saludo a su rival por segunda vez y se vino al rincón. Le sostuve los guantes mientras metía los puños y luego los até con fuerza. Quise ponerle el protector bucal pero lo rechazó apartando la cara.

—Todavía no, viejo. Eso se pone con la campana.

Yo estaba nervioso y la pelea me había despertado una ansiedad que me hizo olvidar todo lo ocurrido hasta entonces. Sonó un timbre corto y agudo. Rocha mordió el protector y fue al centro del ring. Mientras bajaba por la escalerita de madera escuché la primera exclamación del público.

Cuando me di vuelta, Sepúlveda rebotaba con gracia en las cuerdas y miraba el pecho de Rocha con la guardia baja. El primer ataque había sido nuestro, y al ver a Rocha bien plantado, tranquilo, me sentí un poco mejor. La gente empezó a corear otra vez «Se-púl-ve-da» y el teniente tiró dos veces la zurda en directo para ver qué pasaba. Rocha se las apartó sin problema y sobre el final del round sacó una derecha corta que tocó a Sepúlveda en el hígado.

—Bueno el pibe —me dijo mientras yo le pasaba una toalla por la cara.

Estaba un poco agitado pero no supe si eso era normal al terminar el primer round.

Rocha ganó clarito el segundo. Sepúlveda estaba un poco desconcertado y aunque se desplazaba con agilidad ligó tres buenas manos en la cara que le cambiaron el aspecto reposado que tenía al principio. Rocha iba adelante muy descubierto pero cada vez que el otro parecía pensar dónde iba a pegarle, el grandote largaba una andanada furiosa que obligaba a Sepúlveda a cubrirse o a retroceder sin tiempo de replicar.

El público, después de algunas bravatas y bocinazos, se había quedado calladito. Para el tercero, Rocha no quiso el protector bucal y se fue a pelear respirando con la boca abierta. Entonces empezó a llover. Era un garúa finita y el público se desinteresó de la pelea por unos instantes mientras aparecían diarios y paraguas sobre las cabezas. Yo seguía con la vista fija en lo que pasaba en el ring. Sólo levanté los ojos para ver cómo las luces rojas del helicóptero parpadeaban cada vez más bajas sobre nuestras cabezas. La hélice chasquiaba con un ruido que empezaba a ponerme los pelos de punta. Rocha encaró, atolondrado, y Sepúlveda le metió un zurdazo en plena cara sin que eso lo parara. El grandote lo abrazó y lo empujó con todo el cuerpo contra el rincón donde yo estaba. Sobre el hombro del teniente primero pude ver que Rocha sangraba de la nariz. Trabados, intentaban golpearse en la nuca y el referí los apartó a los tirones gritando algo que el motor del helicóptero no me dejaba escuchar. Al retroceder, Rocha la ligó de nuevo en el mentón pero tiró la cabeza hacia atrás y el golpe no llegó muy fuerte. La gente se entusiasmó y un tipo de traje a rayas, con pinta de gerente de banco, saltó de su asiento en la primera fila y se vino casi a mi lado a gritar y golpear la lona.

—¡Lo tenés! —gritaba—. ¡A la cocina! ¡Otra a la cocina!

Sepúlveda se había metido entre los brazos de Rocha y le estaba haciendo pasar un mal rato. El grandote no atinaba a agarrarlo en clinch y el teniente le metió un gancho corto que hubiera sido suficiente para tumbar a un caballo; enseguida, con un paso atrás, Sepúlveda tomó distancia y le aplastó la nariz con un derechazo. Las piernas de Rocha se aflojaron un poco, reculó y casi se sentó en la segunda cuerda. Sepúlveda no tenía apuro y empezaba a mostrar toda su inteligencia: sin arriesgar, manteniendo distancia, tiró dos golpes mientras Rocha se cubría sin elegancia. La izquierda le dio en una oreja y debe haberlo aturdido porque cuando sonó el timbre vino al rincón con paso no muy seguro.

—No vaya tan de frente —le dije—. Saque la izquierda para tenerlo a distancia. ¿Le duele la mano?

—Déjeme de joder —contestó y escupió en el balde. Tenía la nariz a la miseria y la cara se le había puesto roja. Se enjuagó la boca, levantó la cara y miró el helicóptero que se alejaba un poco.

—Qué tiempo de mierda —comentó mientras yo le metía un algodón en la nariz herida. Se dejó hacer y cuando fue hacia el centro del ring volvió a mirar al cielo. Bajé la escalera dispuesto a pedir algún medicamento que parara la hemorragia. Cuando llegué al suelo y me di vuelta me encontré con la cara de sorpresa de Sepúlveda. Estaba caído y un brazo le colgaba de la segunda cuerda. Trabajosamente empezó a ponerse de pie. Por un momento creí que el referí se acercaba a contarle, pero lo ayudó a levantarse. Había sido sólo un resbalón y el árbitro me pidió la toalla para limpiarle los guantes. Después anduvo deslizando los pies sobre el ring mojado para comprobar si la lona estaba en condiciones. Ponía cara de preocupado para que se le viera desde lejos y fue a hablar con alguien en un costado. El tipo con cara de gerente de banco se había parado otra vez y hacía gestos para llamar la atención de Sepúlveda.

—Se cae solo —le decía—. Dale en la cocina.

—Dale, Marcial, sacalo que llueve —gritó alguien atrás mío.

Rocha parecía recuperado. La pausa y el agua lo ayudaban a refrescarse. Por fin, el referí los llamó al medio del ring, los hizo tocarse los puños y Sepúlveda dio un ligero paso atrás mientras chocaba un guante contra el otro. En ese momento, Dios sabe cómo, Rocha le calzó un derechazo en cross, rápido como un latigazo. Sepúlveda se cayó como un tronco en el mismo lugar donde había estado antes. Yo grité algo así como «Rocha, carajo» y el árbitro se llevó al grandote a los empujones hasta el otro rincón. Sepúlveda tenía los ojos opacos y extraviados, como un viejo que ha perdido los lentes. Con un brazo trataba de agarrarse de una cuerda para levantarse cuando el referí empezó a contar, demasiado lentamente para mi gusto, con una voz que luchaba por ser escuchada sobre el ruido monótono del helicóptero. Sepúlveda hizo un esfuerzo y se paró, pero no podía poner las rodillas en su lugar y se bamboleaba como un palo de bowling. El referí contó hasta ocho y le frotó los guantes contra el pantalón. Rocha ya estaba ahí: tiró varios golpes ciegos y Sepúlveda salió lanzado contra las cuerdas, indefenso. Entonces terminó el round.

—Ya está —me dijo Rocha respirando como

una olla a presión—. Un toque más y se termina.

—Tranquilo. Mida los golpes, no se atolondre, mida los golpes.

Dos tipos habían subido al ring y secaban el agua con trapos de piso. La lona estaba hecha un chiquero. Enfrente, el petiso que asistía a Sepúlveda le estaba dando aire con la toalla mientras le hablaba y movía la cabeza, furioso.

—Tranquilo que la llevamos por puntos —dije a Rocha mientras se iba a buscar a Sepúlveda, que recién se ponía de pie en su rincón.

Bruscamente, el motor del helicóptero se volvió un bramido ensordecedor. Giró sobre el estadio, bajó a veinte metros de nuestras cabezas y el viento de la hélice arrancó paraguas y diarios de las manos, haciéndolos volar furiosamente entre la lluvia mientras la gente gritaba e intentaba escapar. En la tribuna que yo podía ver hubo dos avalanchas y el público del ring-side se olvidó de repente de la pelea para ponerse a salvo. Dos filas de sillas se dieron vuelta y la gente se pisoteó hasta que el helicóptero se elevó lo suficiente como para que todo el mundo se pusiera de pie a mirar al cielo. Rocha, Sepúlveda y el referí miraban de reojo cada vez que el clinch lo permitía. Tenían los pelos revueltos a causa de la ráfaga, pero no parecían darse cuenta de lo que había pasado. El aparato siguió tomando altura y alejándose hasta que desapareció y el silencio dejó lugar ahora a los apagados sonidos de los guantazos, los carraspeos y la nariz de Rocha, que se sonaba groseramente hacia cualquier parte. Los dos bailaban, ridículos, en el centro del ring y el pie derecho de Sepúlveda arrastraba una hoja de diario que el viento había llevado hasta el ring. Me di cuenta de que a Rocha le sería difícil rematarlo. Sólo un golpe justo, afortunado como el anterior, terminaría la pelea. Me dije que si las cosas seguían así Rocha tendría que ganar por puntos aun cuando a los jueces no les gustara lo que tendrían que escribir en sus tarjetas.

Cuando la vuelta terminó, Rocha vino al rincón con la cabeza levantada hacia el cielo. Le puse el banquito y se dejó caer pesadamente.

—¿Qué carajo pasó? —dijo y se sonó la nariz medio adentro del embudo, medio sobre mi camisa.

—El helicóptero —contesté y me acordé de pasarme la mano sobre la cabeza para acomodarme el pelo.

Miró otra vez el cielo oscuro del que seguían cayendo unas gotitas finas.

—¿Se las tomó? —escupió adelante suyo—; mejor, ya me tenía las pelotas rotas el ruido ese —se dio vuelta y me miró como disculpándose—: No me dejaba concentrarme, ¿se da cuenta?

Asentí.

—La vamos llevando por puntos. Téngalo a distancia, saque la zurda y no lo deje acercar.

Se dio vuelta otra vez, sonriendo. Le sequé la cara y la cabeza antes de repetirle las instrucciones sin estar seguro de que fueran las mismas que le había dado antes. El timbre sonó apagando el murmullo del público. Sepúlveda salió con todo. Era evidente que en el rincón lo habían apurado y estaba dispuesto a achicar distancias en el puntaje. Parecía recuperado pero nervioso. Rocha dio un paso atrás y le entró una derecha en directo sobre la nariz que lo apartó por un rato. El grandote estaba sorprendiéndome. Se lo veía tranquilo, dueño de la pelea. Dos veces buscó el clinch para evitar problemas y se sacó de encima a Sepúlveda con un empujón que lo hizo resbalar sobre la lona empapada. Por un momento pensé que Rocha calculaba todo: los puntos que llevaba de ventaja, la nerviosidad del rival, el ring mojado. Sobre el final Sepúlveda le puso una izquierda en el hígado que me dolió también a mí, pero Rocha lo abrazó, lo llevó a bailar un rato y cuando terminó el round se vino caminando con bastante soltura.

—Masajee un poco, pero sin hacer bandera —me dijo señalándose el costado derecho con los ojos.

Le froté la espalda y después, más fuerte, la parte dolorida hasta que chistó y me hizo señas de que era suficiente.

—Lo tenemos en el buche —dijo—. Era la primera vez que me incluía en el asunto.

Fue una mala vuelta para Rocha; de entrada se resbaló, Sepúlveda lo tocó de zurda y lo mandó a la lona. El golpe no le llegó de lleno y se levantó de un salto, como queriendo ignorar el incidente. El árbitro le contó los ocho y le secó los guantes. Ahora estaba tan mugriento como Sepúlveda: tenía el pantalón y un brazo pegoteados de barro; el cordón desprendido del guante derecho le colgaba de la guardia como una hilacha vergonzosa. Se estuvo escapando todo el tiempo y yo le grité al referí que le atara el guante en un inútil intento de conseguirle un respiro ante la andanada que Sepúlveda tiraba en un-dos. Ya no estaba seguro de que estuviéramos ganando por puntos. Calculé que para los jurados locales menos de tres puntos de diferencia harían empate y todavía faltaban tres vueltas.

Agachado, Rocha intentaba abrazar la cintura del teniente primero y al fin consiguió darle un cabezazo en el estómago; Sepúlveda gritó una protesta al referí pero éste le hizo señas de que se callara. Incómodo, Sepúlveda descargó un mazazo de derecha sobre la nuca del grandote y lo mandó al suelo de rodillas. Rocha seguía abrazándole las piernas y pegando como a la deriva sobre los muslos de Sepúlveda. Pensé que no se había dado cuenta de que estaba en el suelo, que ciegamente creía golpear la espalda en pleno clinch. Por fin dio un tirón y Sepúlveda se cayó de espaldas, como un piano desde un cuarto piso, salpicándonos de barro a todos los que estábamos a diez metros a la redonda. El referí corrió y ayudó a Rocha a levantarse. Sepúlveda, furioso, estaba ya de pie insultando al grandote, agitando sus largos brazos de los que chorreaban gotas viscosas. Rocha estaba completamente mareado y fue a apoyarse en las cuerdas. El referí pidió una toalla al rincón de Sepúlveda y empezó a limpiarlos a los dos como una madre prolija. El petiso que asistía a Sepúlveda se había subido al borde del ring y gritaba como un poseído; me di cuenta de que tenía que hacer lo mismo. Fui corriendo al lugar más cercano a la escena y trepé al ring.

—¡Le diste en la nuca, criminal! —grité y añadí algunos insultos no tan llamativos como los que escupía el petiso que tenía un repertorio más rico y abundante, acompañado de la tonada mendocina.

El referí se hacía el sordo. Cuando terminó de limpiarlos nos ordenó al petiso y a mí que bajáramos del ring y con gestos aparatosos invitó a los boxeadores a reiniciar el combate. Entonces sonó el timbre y Rocha encaró para el rincón.

Estaba grogy. Le tiré agua con la esponja y lo único que hizo fue pasarse la lengua por los labios. Lo tironeé del pantalón para que se sentara y cuando le vi la cara me di cuenta de que estaba terminado. Le estrujé la esponja sobre la cabeza y entonces me hizo una sonrisa bonachona.

—Está cocinado —dijo.

—¿Cómo se siente?

No me contestó. Le seguí tirando agua sobre la nuca. Alguien apuró la llamada y Rocha se fue a recibir una de las palizas más grandes que he visto en mi vida. Después del cuarto guantazo en la cara bajó la guardia y empezó, inconsciente, a bailar alrededor de Sepúlveda como si fuera el dueño del ring. El teniente primero calculaba la distancia y mandaba los golpes como cañonazos. A cada piña, Rochita salía despedido como un punchinbal. Patinaba y cada golpe lo cambiaba de posición, pero no se caía. Sepúlveda lo acomodaba con la izquierda y le pegaba con la derecha, como si estuviera entrenándose con una bolsa. El petiso chillaba, desaforado:

—¡A la cabeza, Marcial, a la cabeza! —y Marcial le daba en la cabeza. «Hígado», pedía el enano y Rocha la recibía en el hígado. Miré el reloj. La campana estaba lejos todavía. Agarré la esponja, la apreté entre los dedos y me dispuse a tirarla. Me pareció, de repente, que era demasiado chica para detener la fría furia de Sepúlveda. El gerente de banco se había levantado de la primera fila y acompañaba los golpes del teniente con gestos espectaculares. Un gordo que tenía puesto el saco sobre la cabeza para protegerse de la lluvia vino y me gritó en la oreja:

—¡Qué esperás, asesino, pará la pelea!

Algo, una estúpida conmiseración me impedía tirar la esponja. Un cross de derecha hizo recular a Rocha contra las cuerdas. El grandote me buscó con la mirada. Su cara era una masa de carne morada y roja; abría la boca como si bostezara y el pecho se le hinchaba cinco veces por segundo. Las rodillas se le doblaban como si fueran de goma pero tenía las piernas suficientemente separadas como para mantenerse en equilibrio.

Me miró. Su cara estaba ahora amarillenta, pero quizá era a causa de la luz, y me pareció que sus ojos no me reconocían, que yo era para él otra figura opaca y amenazante. Movió la cabeza lentamente hacia los costados en el mismo momento en que yo iba a tirar la esponja (¿iba a tirarla?), mientras el árbitro levantaba un brazo y llevaba a Sepúlveda hasta su rincón. Volvió despacio hasta donde estaba Rocha que seguía haciendo fintas, desconcertado como un rinoceronte ciego, sorprendido de no recibir más golpes. El referí empezó a contarle y Rocha asentía, movía la cabeza en un sí a todo lo que pasaba a su alrededor. El referí llegó a los ocho y le preguntó a gritos si podía seguir. El grandote se irguió de golpe y se puso en guardia. La paliza duró veinte segundos más y encima Sepúlveda pegó dos veces después del sonido del timbre.

Rocha dudó un rato del camino a tomar y después vino al rincón apoyando un brazo sobre una cuerda para guiarse. Lo ayudé a sentarse y le volqué medio litro de agua en la cabeza.

—Terminamos acá —le dije—. Voy a parar.

Me miró a través de los párpados entrecerrados, levantó un brazo y me tocó el mentón con el puño.

—Déjeme solo —dijo—. Usted no entiende nada.

—Voy a parar.

Respiraba a duras penas, pero en su voz había un resto de bronca.

—Fue usted el que me pidió venir. Si ahora tiene miedo, váyase.

Se paró, se levantó los pantalones y esperó la campana de pie. Después fue al centro del ring sin vacilar. Sepúlveda le tiró la derecha pero Rocha la desvió y cuando vio venir la izquierda se agachó y la dejó pasar por arriba. Tiró dos golpes rápidos, ciegos, pero ya era tarde. Sepúlveda le metió un un-dos sobre la cara y después un zurdazo en el hígado. Rocha empezó a sentarse suavemente, dando la sensación de controlar y acomodar su cuerpo para la caída al estilo de un gran actor. Antes de que tocara el piso, Sepúlveda lo calzó con un gancho a la mandíbula que desparramó barro y sangre, como si el guante se hubiera reventado. El grandote se enderezó y cayó a la lona, rígido como una puerta. Miraba al cielo y el brazo derecho, abierto y flojo, parecía roto en pedazos. El referí contó despaciosamente hasta el out y me dio la impresión de que podría haber seguido hasta veinte mil sin que Rocha pudiera pararse. Sepúlveda levantaba los brazos y el petiso se le había colgado del cuello, loco de contento. El público subió al ring antes que yo. Empapé la esponja y fui a buscarlo. La gente pasaba sobre su cuerpo como si nunca hubiera existido. Todos querían tocar a Sepúlveda que había conseguido llegar a empujones hasta su rincón.

Exprimí la esponja sobre la cara de Rocha que movió los párpados y apenas el brazo derecho. Un pibe que hacía ademán de boxear con otro le pisó la mano izquierda, trastabilló y se quedó mirándonos, un poco avergonzado.

Lo senté, pero su cabeza cayó sobre mi brazo. Movió los labios y cerró los ojos hundidos entre la frente y los pómulos deformados. Lo sacudí y su boca se abrió descubriendo una lengua roja, sumergida en la baba. Pegué mi cara a la suya mientras intentaba, con todas mis fuerzas, ponerlo de pie. Un tipo que llevaba un impermeable de nailon transparente me empujó y el cuerpo de Rocha se me escapó de entre los brazos y cayó otra vez a la lona. Me arrodillé y apoyé una oreja en el medio de su pecho. El corazón le latía a golpes atropellados.

—No se asuste —me dijo en un hilo de voz. Seguía con los ojos cerrados y no parecía dispuesto a hacer un discurso. Alguien se arrodilló a mi lado y le tomó el pulso.

—Este muchacho no está bien —dijo.

Me paré y empecé a empujar a los tipos que todavía estaban sobre el ring. Sepúlveda y los suyos se iban por el pasillo. Tiré a un par de muchachones contra las cuerdas y empecé a gritar. Hasta que me di cuenta de que nadie hablaba, que la gente estaba quieta, mirándonos sin mover un músculo, como en un repentino velorio. Y seguía lloviendo.

CAPITULO XVI

Lo acomodamos en el asiento trasero de un coche y empezamos a abrirnos paso entre la multitud. A la gente que salía del estadio se unían los que habían esperado el resultado de la pelea en la calle. Desde las puertas, las ventanas y las azoteas de las casas, viejos y chicos aplaudían la caravana de autos que festejaba la victoria del candidato local. Todas las bocinas sonaban a la vez y mis puteadas se perdían en la euforia de los demás. Los muchachones golpeaban las puertas de los coches como tambores y algunos habían atado camisas y pañuelos en las antenas y los limpiaparabrisas. A lo lejos empezó a sonar una sirena. En el cielo, del lado del cuartel, se elevaron varias luces de bengala que iluminaban el pueblo con un resplandor blanquecino que tardaba en disolverse. Estuvimos media hora avanzando a paso de hombre sin que Rocha se enterara de nada. En la primera esquina, frente a una estación de servicio, el chofer enfiló el auto entre los surtidores y salió por la vereda a una calle más despejada. Aceleró sin dejar de tocar la bocina y en dos minutos estuvimos frente al hospital. Llegamos a la puerta luego de atravesar un jardín coqueto y bien cuidado. Un pelirrojo corpulento, de guardapolvo blanco, estaba tomando fresco y pitaba su cigarrillo sin apuro. Nos miró y mientras bajábamos gritó.

—Hoy no se atiende. Vuelvan mañana.

Cuando abrí la puerta trasera del coche las piernas de Rocha se deslizaron hasta el piso. El tipo que nos había traído lo agarró de los tobillos y tiró sin lástima hasta acostarlo en la vereda. Después subió al auto y salió a la disparada sin darme tiempo a agradecerle. El de guardapolvo se acercó y miró al grandote desde arriba, sin agacharse mucho.

—Vaya a buscar una camilla —le pedí.

—¿Está así desde cuándo?

—Más de media hora.

—Un palizón —dijo, y silbó.

Fue hasta adentro, arrastrando los pasos, sin calentarse demasiado, y volvió con una camilla rodante. Lo agarramos de los brazos y las piernas y lo subimos. El pelirrojo hizo ademán de tirar el pucho pero se arrepintió y lo acomodó en el borde de la camilla, entre las piernas de Rocha. Lo señaló con la barbilla:

—¿En qué round lo sacó?

Empecé a empujar la camilla. El otro me seguía de cerca y en el hall recuperó el cigarrillo.

—Le metemos un poco de hielo y se despierta.

—Llame al médico.

Me miró como a un marciano.

—¿Médico? ¿De dónde quiere que se lo saque?

—¿No hay un médico de guardia?

Hizo un gesto mostrándome cuánto lo lamentaba. Fui hasta la primera puerta, la abrí y vi un consultorio desierto. Cuando me di vuelta el pelirrojo me miraba y movía la cabeza hacia los costados.

—No me haga eso, no —dijo y se me acercó, amenazante.

—¿Qué quiere? ¿Que le dé el raje? —dijo entre dientes. Después pasó a un tono más familiar.

—Usted es de la Capital, ¿no? Yo también —se tocó el pecho con un dedo—. Colimba. No parezco porque pedí postergación. Seis años de abogacía para que después me manden a este pueblo de mierda a limpiarle el culo a los enfermos. ¿Qué le parece?

—Escúcheme —levanté la voz—, ese hombre puede morirse. Hay que conseguir un médico.

Miró a Rocha de cerca, inclinándose sobre la camilla y le dio una palmadita en el pómulo.

—Se fue a ver la pelea —me miró con su cara más solemne y agregó—: No hay seriedad.

El grandote tenía la boca abierta y roncaba con un ruido que venía de adentro del pecho.

—Traiga el hielo —dije.

—Si hay.

Le di unos mangos. Miró los billetes y los hizo desaparecer en el bolsillo del pantalón.

—Para los fasos —dijo y se fue a buscar el hielo.

Aproveché para abrir las demás puertas del pasillo. Todos los consultorios estaban vacíos. Desde la oficina llamé por teléfono a Avila Gallo. Atendió Marta.

—Necesito hablar con el doctor.

—No está —me contestó con voz quebrada—, no volvió todavía.

Hubo un silencio demasiado largo. Al fin me preguntó:

—¿Cómo terminó la pelea?

—Ganó Sepúlveda.

Suspiró. No tenía ganas de hablar mucho.

—¿Rocha está con usted?

Le dije que sí y me pidió que le pasara con él. Le conté que estaba duchándose y que la llamaría mañana por la mañana. Se quedó callada. Debe haberse sentido abandonada porque antes de colgar el tubo estuvo moqueando un rato.

Llamé a la central y pedí que me consiguieran un médico. La telefonista me explicó que en el pueblo había dos y que uno de ellos debía estar en el hospital. El otro no contestó el teléfono. Volví junto a Rocha. El camillero le había metido una bolsa de hielo sobre la cabeza y lo había dejado solo. Busqué una frazada pero tuve que conformarme con una sábana. Lo cubrí. Estuve mirándolo un rato y llamándolo. Le di unos golpecitos en las mejillas y pegué una oreja a su pecho sucio hasta escuchar débilmente los latidos del corazón.

Afuera la fiesta seguía. No había más fuegos artificiales pero los bocinazos y los cohetes no aflojaban. Por los parlantes alguien vociferaba el nombre de Sepúlveda y prometía un inminente reportaje al ganador. Anduve caminando por el hall, fumando y pensando qué podía hacer. Un Citroën con la capota abierta vino por el camino de pedregullo y se estacionó cerca de la entrada. Bajó un muchacho de unos veinticinco años, con pinta de nochero, que caminaba con paso cansado. Me saludó apenas con un movimiento de cabeza y empezó a quitarse el saco. Cuando vio al grandote en la camilla se le acercó y lo estuvo mirando como si fuera un cajón de repollos.

—Creí que lo había atendido Furlari —dijo.

—No lo atendió nadie. Hace una hora que está así.

Le abrió los párpados sin mucho entusiasmo. Después retiró los dedos, le tomó el pulso mirando el reloj y le auscultó el corazón.

—¿Usted es pariente? —me preguntó.

—Amigo. No tiene parientes aquí.

—Ahá. Hay que hacerle una traqueotomía para facilitar la respiración.

Nos miramos un rato como si no supiéramos quién de los dos iba a hacer el trabajo.

—Hay que preparar la sala —dijo por fin y me convidó un cigarrillo. Lo apuré con la mirada y se fue a despertar al pelirrojo y a la enfermera.

Los tres desaparecieron en el fondo del pasillo y pasó media hora hasta que el camillero vino a buscar a Rocha. Estaba más animado y antes de llevárselo me guiñó un ojo.

—Lo van a agujerear —dijo y se señaló la garganta.

Una enfermera morocha, con acento tucumano o cordobés me dijo que esperara en la entrada o me fuera a dar un paseo.

En la oficina volví a llamar a lo de Avila Gallo. Esta vez me atendió él. Le conté lo que había pasado y le dije que sería mejor que se hiciera cargo de trasladar a Rocha a Buenos Aires esa misma noche. No me contestó.

—Podrían llevarlo en una ambulancia —dije.

—¿Llevarlo? —su voz sonaba molesta—. Vamos, Galván, no debe ser tan grave. Todo lo que se pueda hacer por el pibe lo vamos a hacer acá. Además tenemos que saber la opinión del médico, ¿no? Mañana va a estar como nuevo.

—En una de ésas mañana está peor.

—No sea pesimista, che. Llevarlo a Buenos Aires sería un papelón para nosotros y no serviría de nada. Si mañana no está mejor lo pasamos al hospital del regimiento... ¿Fue buena la pelea?

—Mejor que usted se venga para acá. Me gustaría que lo vea y hable con el médico. No parece muy experto el muchacho.

—¿El doctor Mancinelli? ¡Ese pibe es una eminencia! No se haga mala sangre. **Mañana a primera hora me doy una vuelta por ahí.**

—Que venga Marta también.

—¿Marta? ¿Para qué? Se impresionaría mucho, la pobre.

—Si Rocha se despierta podría querer verla.

Endureció la voz.

—¿Por qué querría ver a Marta?

—Bueno, la aprecia mucho.

—Nosotros también lo apreciamos al pibe. Un gran muchacho.

Colgué. Al rato el médico salió a decirme que había puesto a Rocha en la sala de terapia intensiva. Me dijo que podía echarle un vistazo y después irme a dormir.

Estaba desnudo, cubierto por una sábana, el cuerpo un poco más derecho y compuesto. Un largo tubo de plástico le salía de la garganta y llegaba a un aparato de oxígeno. Tenía un aire apacible, sólo que el tubo clavado en el medio del cuello lo hacía parecer terriblemente enfermo. Volví a hablarle, pero la enfermera tucumana o cordobesa me dijo que no hiciera ruido. Más allá había un viejo que tenía agujas clavadas en los brazos y las piernas y dormía o agonizaba sin moverse. Estuve un rato allí hasta que me dijeron que me fuera. Hablé con el camillero, le recordé los mangos que le había dado y me dejó acostarme en una salita pequeña, donde no había más que una cama baja y sucia y una mesa color crema descascarado. Estuve dormitando y cuando me di cuenta ya eran las cuatro de la mañana. Un auto frenó en la puerta, escuché portazos y tipos gritando órdenes. Me asomé. El Falcon verde estaba allí y el que gritaba era el gordo que seguía con la ametralladora pegada a la mano. Bajaron a un tipo maltrecho y quejoso.

—¡Movete, pelotudo! —gritó el gordo y el médico ayudó a cargar al herido en la camilla.

Cerré la puerta y me quedé allí, con la luz apagada. Estuvieron corriendo por los pasillos durante una hora y después volvió el silencio. El auto se fue pasadas las seis de la mañana. La luz empezaba a entrar por la claraboya de la pieza donde yo estaba. Salí y recorrí el pasillo casi en puntas de pie. El pelirrojo estaba acostado en la sala de urgencias. Fui al pabellón donde habían dejado a Rocha. La enfermera dormía sobre una camilla y pasé a su lado sin sacarle los ojos de encima.

Rocha no estaba en la cama. En su lugar había un tipo que, supuse, sería el que trajeron en el Falcon. Le habían hecho también una traqueotomía y tenía una venda sobre el pecho. Me miró y lo saludé con un movimiento de cabeza. Me contestó con un gruñido que debió dolerle porque lo acompañó con una mueca. La luz había convertido la gran sala en una barraca gris que me pareció más desolada que antes. Me acerqué a él y le pregunté si sabía dónde se habían llevado al hombre que había estado antes en esa cama. Hizo un gesto de sufrimiento, levantó apenas la mano derecha y me hizo una señal con el pulgar hacia abajo.

Me quedé un largo rato en la penumbra mirando cómo la luz se esforzaba por entrar a través de los vidrios esmerilados y sucios. Miré mi reloj quizá para darle algún contenido a ese minuto cualquiera, para tener un instante preciso que recordar cada vez que volviera a encontrar las agujas en esa misma posición. Fui a buscar a la enfermera y la desperté sacudiéndole un hombro. Se sentó sin siquiera parpadear.

—¿Dónde está? —le pregunté.

—Enfrente, en la sala general.

Cruce el pasillo y abrí la puerta. Había una docena de camas, en dos filas, separadas una de otra por dos metros. En cada una dormía alguien, pero en la última una mujer viejísima se quejaba con voz monótona, repetía los «ay» como un disco rayado, segura de que nadie acudiría a su lado. Bajo un ventilador de techo que giraba lentamente, Rocha estaba tirado en una cama, cubierto hasta el cuello con una sábana. Su cara estaba morada y aún le quedaba barro en los cabellos. Tenía la boca otra vez muy abierta y sobre los agujeros de la nariz se amontonaban dos espesas costras de sangre. La barba empezaba a crecerle y eso no mejoraba su aspecto. Corrí un poco la sábana. Donde antes había tenido clavado el tubo que le daba oxígeno ahora tenía una venda de gasa sostenida por cinta adhesiva apenas manchada de rojo. Respiraba con un sil-

bido débil. Le abrí un párpado pero no había
luz suficiente para ver más que una masa oscura
y sin brillo. Salí al corredor y busqué otra vez
a la enfermera. Había vuelto a dormirse y esta
vez la sacudí de un brazo.

—¿Dónde está el médico?

—Duerme.

—¿Dónde?

Debe haberme visto nervioso porque me indicó una puerta al lado de la sala de operaciones.
El tipo estaba acostado en una cama deshecha;
sobre la mesa de metal había una botella por la
mitad de jugo de naranjas y un cenicero donde
se había apagado un cigarrillo recién empezado.
Le toqué una pierna y dio un respingo antes de
abrir los ojos.

—¿Qué pasa?

—¿Por qué le sacó el oxígeno?

—¿A quién?

—Al boxeador. ¿Por qué se lo sacó?

Se sentó en la cama, apoyó los pies en el suelo, tomó el cigarrillo del cenicero y lo prendió
con un fósforo.

—No hay más que una cánula.

—¿Qué es eso?

—Para la traqueotomía. No había más que
una.

—La tenía él, ¿no?

—Sí, pero al otro le hace más falta —levantó
los hombros y bostezó. Lo agarré de la camisa,
bruscamente, y lo sacudí.

—¡Hijo de puta! ¡Se la vas a volver a poner!

—¿Qué le pasa? —me apartó con fuerza—. ¿Quién es el médico aquí? Ese tipo está listo, no va ni para atrás ni para adelante.

—¿Qué quiere decir?

Se quedó un rato con los ojos fijos en algún lugar del piso. El cigarrillo se le había apagado y buscó otra vez los fósforos.

—La tienen conmigo, hoy... ¿Qué quieren? ¿Que haga milagros?

—Vuelva a ponerle el aparato. El tiene derecho, ya lo estaba usando.

Suspiró con amargura y se frotó la mandíbula.

—Dígaselo al guardia... —había un dejo de desafío en su voz cansada.

—¿Al guardia?

—Sí, al cana que está afuera. Vaya, pruebe.

Fui hasta la puerta.

—Oiga —me llamó.

Me di vuelta. Estaba estirándose otra vez en la cama.

—Con cuidado. No quiero tener que atenderlo a usted.

Caminé hasta la pieza donde dormía el camillero. A mi espalda, del otro lado del pasillo, se abrió una puerta. Gary Cooper se asomó sigilosamente. Tenía los ojos rodeados de una aureola violeta.

—¡Hola! ¿Qué andás haciendo por acá, Gardelito?

La sorpresa me dejó frío por unos instantes. Se había sacado los zapatos y no era más alto que una escoba, pero seguía con la ametralladora en la mano y el revólver a la cintura.

—¿Qué noche, eh? —dijo como si fuéramos íntimos.

Yo seguía parado, sin hablar, en medio del pasillo.

—¿Qué te pasa? —dijo—. No vas a estar enojado con nosotros, ¿no?

—¿Qué hace aquí? —le pregunté.

—Che, vos seguís cabrero...

No dije nada y seguí mirándolo.

—Me dejaron de seña, viejo. Todo el mundo se fue a la joda y yo tengo que pasarme la noche en el hospital. ¿Qué te parece?

—¿Por qué en el hospital?

—Orden del gordo. Se nos lastimó uno de los muchachos.

Abrió de par en par la puerta de la pieza. Dio unos pasos, como buscando algo y dejó la ametralladora contra la pared. Después agarró una mesa de metal, la sacudió para tirar sobre la cama los frascos que tenía encima y la colocó en el medio de la habitación.

—¿Querés jugar un truco? Los despierto al tordo y al otro y hacemos uno de cuatro.

—Tengo que irme.

—Dale...

—Rocha está aquí.

—Ya sé.

—Me lo llevo. Hay un tren a la mañana, ¿no?

—El lechero. Tarda como mil horas, viejo. Dale, lo llevás en el de la noche.

Dije que no con un movimiento de cabeza y caminé hacia la sala general.

—¡Che!

Me paré frente a la puerta y lo miré.

—No están enculados, ¿no? Vos sabés, donde manda capitán no manda marinero.

Ya había más luz en la sala. Tomé una camilla rodante y la puse junto a la cama de Rocha. Intenté levantarlo pero fue inútil. Tenía que pedirle ayuda a Gary Cooper. Cualquiera de los otros se hubiera negado a que lo sacara del hospital. Fui a buscarlo.

—Estás loco —dijo.

—Si no lo llevo a Buenos Aires se muere.

Estuvo pensando un rato, mirando la mesa que había acomodado para el truco.

—No puedo largar la guardia.

—Un minuto.

Se le encendió la cara de golpe.

—¡Me firmás el autógrafo! ¿Te acordás? ¡El autógrafo! ¡El gordo se va a retorcer de bronca!

—Está bien.

Entró en la salita, buscó en la mesa y en un armario hasta que encontró un cuaderno y le arrancó una hoja. Me alcanzó una lapicera. Estaba contento como si hubiera ganado la lotería.

—Dale, poné: al Beto Sayago con un abrazo de su amigo... no, pará, con un abrazo de hermano, mejor. Y firmá clarito, que se note que sos vos, ¿eh?

Puse el papel sobre la mesa y escribí. Agarró la hoja, la leyó, la dobló con más cuidado que si fuera un cheque y se la metió en el bolsillo de la camisa.

—¿Dónde está? —dijo.

Sudamos diez minutos para meterle el pantalón, la campera, y ponerlo sobre la camilla. El Beto estuvo diligente y hasta se condolió del estado de Rocha. Después me recomendó que nos fuéramos antes de que el gordo viera el autógrafo.

—Si alguno te pregunta algo decís que hablaste conmigo y con el médico.

—Voy a llamar un taxi.

—¿Un taxi? Esta noche no circulan ni los bomberos, viejo. A las dos de la matina tuvimos que poner barreras en la calle para terminar la joda. Los negros estaban enloquecidos después de la pelea y el pueblo era un quilombo. Por eso te decía que te quedaras haciendo un truco y te fueras a la noche. Total —miró a Rocha— el flaco duerme.

Dije otra vez que no y tuve que darle la mano. Me agradeció el autógrafo y me acompañó hasta la puerta. Fui arrastrando la camilla por el camino de pedregullo y no me fue fácil. Tenía que empujar con todas mis fuerzas y cuidar a la vez que Rocha no se cayera. Su cuerpo sobraba por los cuatro costados de la camilla, más aún por delante, donde las piernas sobresalían casi hasta las rodillas. Lo había cubierto con una sábana y una frazada que se deslizaban y me obligaban a detenerme a cada rato. El tren pasaba dentro de cincuenta minutos y tenía que atravesar todo el pueblo para llegar a la estación. Las veredas eran demasiado desparejas y se me hacía penoso bajar y subir la camilla en cada esquina, de manera que decidí continuar por la calle. La ciudad estaba completamente desierta y sólo se escuchaban los cantos de los pájaros. Cada dos cuadras me paraba a recobrar el aliento. Pensé que Rocha no tenía encima más que una manta finita; le toqué un brazo: estaba frío y duro como la manteca recién salida de la heladera. Me quité el saco y se lo eché encima, sobre el pecho. Ya no sentía la angustia de los primeros momentos, sino una profunda pena por ese terco que no había querido aceptar la derrota de antemano. Tal vez había tenido razón: hubo un momento en que la victoria estuvo allí, a su alcance, aunque él no supo aprovechar la oportunidad. Un solo golpe podría haber cambiado esta absurda historia en la que estábamos metidos, en medio de un pueblo indiferente en el que nadie abría una puerta para decirnos adiós, gracias por haber reventado frente a nuestros ojos. Quizá yo debí haber pedido la suspensión de la pelea a causa de la lluvia. O debí haber tirado la esponja cuando la tuve entre los dedos y él me miró en un último gesto estúpidamente valiente. Ahora estábamos en la plaza, yo empujando el carro desvencijado y él rígido como una estatua, sin poder siquiera mezclarse en mis cavilaciones. Me pregunté si estaría sufriendo.

Un perro que andaba husmeando el monumento a San Martín vino a ladrarnos y enseguida aparecieron otros dos de entre los árboles. El primero, un cachorro negro, de rabo cortado, saltó dos veces antes de prenderse de la frazada que cubría a Rocha. Tuve que correrlo un trecho hasta conseguir que me devolviera la manta después de haberla arrastrado por el veredón. Los otros perros, grandes y roñosos, ladraban como locos, entusiasmados por la disputa. Cuando conseguí ahuyentar al cachorro salieron corriendo detrás de él, gruñendo y tirándole tarascones.

Pasamos frente al teatro. Además de los caballetes que anunciaban la función de la noche, había una serie de fotos grandes y flamantes de Romero y sus guitarristas en riguroso traje negro y sin sombrero. Tenían el pelo bien cortado y el cantor se había teñido las canas que le blanqueaban las patillas la noche que vino a visitarme. En la esquina, el bar estaba cerrado pero adentro alguien acomodaba mesas y sillas.

Tomamos la misma avenida por la que habíamos llegado dos días atrás, cuando Rocha me alcanzó casi corriendo y me preguntó si yo también venía a ganarme unos mangos. Me sentía extenuado y tenía que hacer paradas cada vez más largas para tomar aliento y secarme la transpiración. Las últimas dos cuadras tuve que pelear con la camilla que se me iba de costado a causa de una de las ruedas traseras que se había bloqueado por completo. Frente a la estación, antes de cruzar la calle, miré por última vez el rancho de Mingo. Me acordé de que Rocha había prometido enterrarlo en un cajón que le compraría con la plata de la pelea. Me pregunté si seguiría allí, tendido en el suelo donde lo habíamos dejado, o si alguien habría venido a recoger su cuerpo antes de que empezara a apestar a todo el pueblo.

El jefe estaba parado en medio del andén, con su traje negro y las manos en los bolsillos del pantalón. Tenía una peinada de brillantina recién armada y el pucho en los labios. Me dijo que había ido a ver la pelea, que Rocha había estado bien en los primeros rounds pero que después se cansó y Sepúlveda pudo haberlo volteado antes. Negó categóricamente que en algún momento el grandote hubiera ido adelante en el puntaje.

—Yo que usted le hubiera tirado la toalla enseguida —terminó.

Después llamó a un tipo de uniforme azul que estaba acomodando unas encomiendas y me ayudaron a poner a Rocha sobre un banco de la sala de espera. El jefe lo miró un rato, curioso pero sin perder la apostura. Luego dijo que nunca había visto un nocaut igual y no quiso cobrarme los boletos. Hizo hacer dos planillas azules que justificaban el viaje gratuito en segunda y se lamentó de que el tren no tuviera camarote y pusiera ocho horas en llegar a Buenos Aires.

Costó bastante trabajo subir al grandote y acomodarlo en un asiento del lado de la ventanilla para evitar que se cayera al pasillo con el movimiento del tren. El vagón estaba casi vacío y la gente dormía. Yo me senté frente a Rocha en el lugar de un tipo que aceptó correrse para el otro lado del pasillo. Le acomodé la frazada y le enderecé la cabeza contra el respaldo del asiento.

Cuando el tren arrancó el jefe nos despidió levantando un brazo desde el andén y enseguida se metió en su oficina. El sol se había levantado y me encandiló hasta que el tren tomó una curva y estabilizó la marcha. A lo lejos vi el caserón del quilombo, solo en medio del campo, y tuve la sensación de que todo había ocurrido hacía mucho tiempo. Cuando trataba de recrear algunas imágenes llegó el guarda a inspeccionar los boletos. Metí la mano en el bolsillo del saco y toqué la billetera que Rocha me había confiado antes de la pelea. El guarda perforó los boletos azules que yo le había alcanzado y se fue.

Vacié mis bolsillos buscando algún indicio de la dirección del grandote. Allí estaban el reloj, la billetera, un manojo de llaves. Había unos pocos pesos, la foto de una vieja con un gato en los brazos, un boleto de ómnibus capicúa y la cédula de la federal, ajada y sucia. Ninguna dirección, ningún teléfono. Le di cuerda al reloj y se lo puse en la muñeca. El día señalado en la esfera coincidía con el que había leído en la cédula. Volví a sacarla y me fijé en la fecha de nacimiento. Ese día Rocha cumplía treinta y cinco años. Lo miré; la tela adhesiva que le tapaba el agujero del cuello se le había despegado. Me incliné y volví a pegarla con cuidado de no apretar demasiado. El tipo que nos había dejado el asiento no nos quitaba los ojos de encima. Al fin sacó una lata de cerveza de un bolso y me la ofreció con un gesto. Le dije que no, aunque tenía la garganta seca. Entonces me preguntó qué le había pasado a mi amigo.

Bruselas-Estrasburgo, 1977

París, 1978-1979

Osvaldo Soriano nació en Mar de Plata, Argentina, el 6 de enero de 1943. Ejerció el periodismo en Buenos Aires, donde en 1973 fue editada su primera novela, Triste, solitario y final, *que tuvo mucho éxito, siendo inmediatamente traducida a diversos idiomas. Sus obras posteriores,* No habrá más penas ni olvido *y* Cuarteles de invierno, *fueron editadas antes en italiano o en francés que en castellano. La edición de sus obras en España puso fin a esta situación anómala. Residente en París desde 1976, el autor ha vuelto a Buenos Aires y ha reanudado su actividad de periodista al finalizar el período de dictadura militar.*